蔡志忠古典漫画

蔡志忠编绘

老子说

智者的低语

庄子说

自然的箫声

三联书店

图书在版编目(CIP)数据

老子说:智者的低语;庄子说:自然的箫声/蔡志忠编绘.-北京:生活·读书·新知三联书店,2001.1
(蔡志忠古典漫画)
ISBN 7-108-01474-2

Ⅰ.①老… ②庄… Ⅱ.蔡… Ⅲ.漫画-作品-中国-现代 Ⅳ.J228.2

中国版本图书馆CIP数据核字(2000)第80459号

责任编辑 郑 勇
封扉设计 海 洋
出版发行 生活·讀書·新知三联书店
(北京市东城区美术馆东街22号)
邮 编 100010
经 销 新华书店
印 刷 北京京海印刷厂
版 次 2001年1月北京第1版
2001年1月北京第1次印刷
开 本 787×1092毫米 1/32 印张 13.25
字 数 250千字
印 数 00,001-15,000册
定 价 19.50元

目录

老子说——智者的低语

庄子说——自然的箫声

老子说

——智者的低语

滋润心灵的甘泉

——序蔡志忠先生《老子说——智者的低语》

◉柴松林

漫画是一种极自由的艺术表现方式，可供漫画发展的环境，必须具备以下几个条件：自由，只有在自由的社会，才能摆脱来自政治的、社会的束缚，发挥人的想像力、创造力，将人的思想，以艺术的形式表达出来；民主，民主是一种生活方式，是对他人尊重，不自以为是，对与自己不同的意见，坦然接受，对自己不利的主张，宽怀容忍，以谏诤嘲讽等方式来体现对社会进步的渴望；关爱，漫画是入世的艺术，用以铲除人间的不平，扶助处于弱势的不幸人类，指斥暴力、奸淫、贪婪和一切的冷酷无情，嘲弄的背后是含泪的温情；缓和，人口众多，资源不足，竞争这有限的资源，使人长陷于紧张之中，生活的压力由四面八方袭来，漫画是一服清凉剂，给绷紧的神经一些纾缓。

漫画家是能洞烛世事的艺术家，不仅有具象的能力，更重要的是他们对于人间的细致观察，能见到蕴含的真义；以赤子之心表达了对于威权的挑战，愤怒、不满、希望、祈求，都借着漫画家的笔倾泻出来。一位成功的漫画家不仅要有深厚的艺术表现功力，同时更要有对人间世事的正确观察、充满胸中的正义使命、同胞痛苦与愿望的深切体认和对于人性的信赖尊重。

许多人论及中国文化时，大都承认一桩事实，中国文化的基调是关心人生，参与人生，反映人生的。历代才智之士的著述，也都是围绕这一个主题；但是我们对于几千年来的文化遗产却少有认识，少有理解，庄严的外表和艰深的内容，产生了吓阻的效果，拒绝接近，使我们无法由其中吸取智慧与教训。志忠由于感到漫画的亲和力，上次出版《庄子说——自然的箫声》，以漫画的技法，引领人们一窥庄子思想丰富奥妙的殿堂，获得空前的成功。这一次更倾全力创作：《老子说——智者的低语》，来帮助读者进入古代经典的大门，与智者坐而论道，实在是一件令人兴奋的事。

老子是一位真正的智者，他不仅教人表现柔弱、愚鲁，更教人无为、无我、居下、退后、清虚、自然……他的思想很难叫人接受，因为一般人只能看到事物的外表，而老子却看到了内里；一般人只能看到事物的正面，而老子却看到了反面。老子的思想扩大了人类文化的广度，增加了深度和韧性。在这个科学发达，物质丰裕的社会，人们对生活不但不能感到满足，反而觉得精神空虚和痛苦。继续追求物欲的结果，使竞争剧烈，环境破坏，甚至于连这人类赖以生存的惟一空间——地球，也不再适合人类居住。老子反对无止境追求物欲的满足，讲求的是精神境界的提升；反对以人为的方式扭曲，主张体法自然；正是化解今日危机的良丹妙药。

志忠以他的生花之笔，夹带对人间的挚热关怀，把老子的思想轻松愉悦而不失庄重诚敬地表现出来，正好像在炎日下的荒漠之中遇到了甘泉一样，给人以心灵上的滋润和无限的怡悦。

新生代的糖衣古籍

——序蔡志忠先生《老子说——智者的低语》

◉詹宏志

糖衣，是制药史上的伟大发明。它使良药不再苦口，尤其让小孩子不再拒绝吃药，咕噜一声，欣然吞服，达到医疗的功效。

糖衣并不治病，苦药才治病。糖衣系手段，药效是目的。针对小孩或成人怕吃苦的弱点，糖衣之发明，原有它很人道的贡献。

古籍难读，中国读书人早就吃尽苦头，不要说小孩，大人也怕读。可是，现代人又觉得传统不可弃，文化不能绝，古籍再苦也不能全盘倾入垃圾桶呀！——于是，有「古籍加工事业」的诞生。

古籍之加工，先有「今注」，后有「今译」。前者在书中难明之处加附注解，犹如路标指示迷津，以利读者理解；后者干脆翻成白话文，古籍今典藩篱尽撤，可以同步阅读。

有人反对古籍今译，以为古文一译白话，「原味」尽失。这话是对的，糖衣之施也，原味（苦味）尽失，此所以小孩子愿意咕噜吞食义无反顾者焉。古籍今译，正欲去其原味，使现代人咀嚼吞食不以为苦呀！

今注与今译，都得依赖文字。但是一九六五年以后出生的「新人类」（完全没有战争和贫穷记忆的一代），照日本人的说法，是「非文字的一代」（non—lingo generation）。他们守着电视机长大，先会说

「克宁奶粉」，才会说爸爸；善恶对错的观念来自《霹雳小金刚》卡通，而非「公民与道德」课本。这一组新生人口，当然有他们行为法则的特质。

针对这些喂食图像长大的新生代，有识之士要与他们沟通，也非得掌握「图像语言」不可。蔡志忠的出现，就把古籍加工事业带到全新的阶段——图像古籍的时代来了！

蔡志忠的第一本图像古籍《庄子说——自然的箫声》在一九八六年夏天出版，开启了这个新时代。到了初冬，这本书挤下了燃烧许久的《野火集》，跃居金石堂文学类畅销书排行的榜首，证明这项推广中国传统经典的工作，已经得到惊人的回响。

有些忧心的知识分子怀疑看了今译古籍或漫画古籍的人，后来就不看原典了。我的看法恰恰相反，正因为这些人看过加工的古籍，心生孺慕之情，更有可能引发他们未来进攻原典的动力。

回想我自己的童年，读漫画版的《西游记》，每页分两栏，上图下文；看到长嘴大身的猪八戒、抓耳搔腮的孙行者，阅读之乐无穷。真正读《西游记》原文，已经是很后来的事了。在我们乡下，求书困难，欲亲近传统文化而不可得，微「旭仔册」，吾其披发左衽矣。

漫画家蔡志忠，在国内漫画创作的开拓上，有不可磨灭的贡献。他在《大醉侠》、《光头神探》之余，把漫画触角伸向古典的宝藏，又开启了新的境界。

现在，庄子说完老子说，他又要把《老子》改编成漫画版，雄心可佩，成绩可卜，对中国古籍的传承，自有糖衣式的贡献，不可抹煞。

但是，为什么庄子在前，老子在后呢？蔡志忠不小心触及了中国古代思想史的大公案，可能挨骂。我觉得有必要为他进一辩护；庄子畅销，此老子所以出焉。

庆幸自己是中国人

——我为什么画《老子说》

◉蔡志忠

我一直庆幸自己是中国人、中国漫画家。

理由很简单，第一，作为一个中国漫画家，他有最多的中文读者，也会有最多的媒体来刊登我的漫画；第二，中国的历史悠久，文化资产最丰富，世世代代遗留下来的先人智慧，将是我取之不竭，用之不尽的漫画题材。

也许你会说，虽然我国的文化遗产很多，可是，其中也有许多是过时的、没有用的。

我的回答是——

不错，记得柏杨先生说过这样的话：如果你只取其中的「坏的、不好的」，那么这些文化遗产就是一个「大酱缸」，而如果你取的是这其中的「好的、有用的」，那么，你就拥有了一份伟大的「资产」。是无用的「酱缸」，还是宝贵的「资产」，全凭你的取舍。

我画《庄子说——自然的箫声》，就是我用心、动手去取舍的过程。多少人只听过《庄子》，却不知道庄周是谁？《庄子》里有什么好东西？我画它，只是表达我对《庄子》的认识；我画它，是希望你也和我一样，不但听到它，也知道它。

画了《庄子》之后，理所当然就继续画《老子》了；我也将不断吸收一些东西，也许日后你会看到我画的《孔子说》、《孟子说》、《佛说》、《禅说》，甚至《胡说》……

《老子说》是我尝试的第二步，希望你喜欢它，并且给我指正。

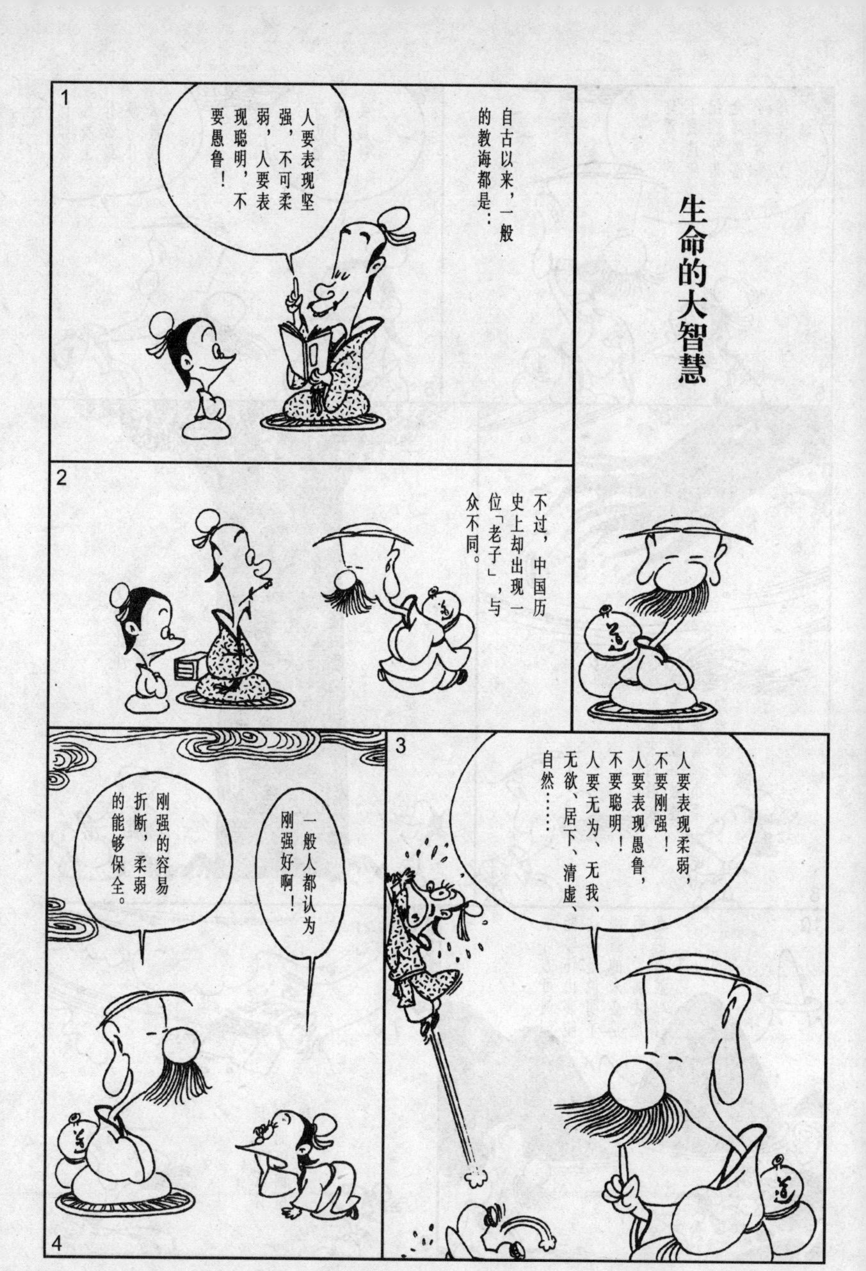
生命的大智慧
自古以来，一般的教诲都是：
人要表现坚强，不可柔弱，人要表现聪明，不要愚鲁！
不过，中国历史上却出现一位「老子」，与众不同。
人要表现柔弱，不要刚强！人要表现愚鲁，不要聪明！人要无为、无我、无欲、居下、清虚、自然……
一般人都认为刚强好啊！
刚强的容易折断，柔弱的能够保全。

比如说，你身上什么最硬？什么最软？
牙齿最硬！舌头最软！
你看，到了我这年纪，牙齿全部脱落了，舌头却完好无恙。
大树比小草刚强吧？
是啊！
台风来的时候大权经常被连根拔起，小草却完好无恙。
风无形无体，却能够倒屋拔树。
水可方可圆，能够怀山襄陵。这不是说明了刚强的未必是强，柔弱才是真正的强吗？

一般人认为聪明好，但一个智者应该表现愚鲁，大智若愚。
11
大富翁通常深藏不露。
哈哈哈，我没有多少财产啦！
12
反之，一个双手戴满金戒、嘴装金牙、颈挂金链的人，家里可能是空空如也。
哼！只是外表装阔的家伙。
13
如果想有所成就，一定要把全部的智力、精力集中在一点，而在其他方面做一个愚者才行。
14
请问你诗、书、画样样都行吗？
对不起！我只懂得下棋，其他方面不行！
15
哈哈哈，我诗、书、画都有研究！
16
17
你最精的是什么？
什……什么都不精……

他是围棋第一高手呢！
我只是皮毛之见，什么都只懂一点点……
人不能处处装聪明，想面面俱到，路路皆通，结果变成肤浅之知，路路不通。
老子认为柔弱就能谦下不争；愚鲁就能弃华取实。一切依循自然。
一般人只能看到事物的表面，而老子却能看到里面。
一般人只能看到事物的正面，而老子却能看到反面。
利的。
可是这一面却是钝的。
老子的思想恢廓有容，可大可久，能处顺境，也能处逆境，虽遇挫折打击，也能承受不倒，还能迂曲转进。
老子反对物欲，讲求精神生活，反对人为，讲求体法自然；重视精神生活，以精神来役使物质。

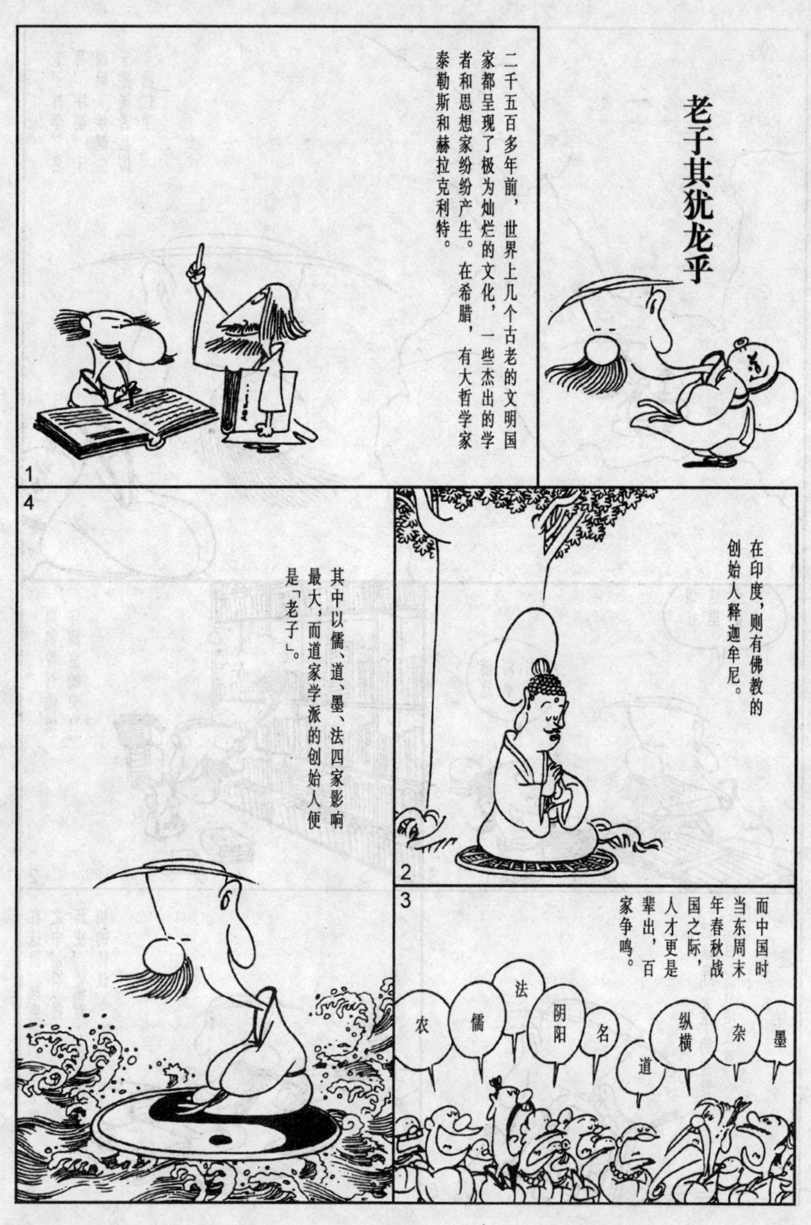

老子其犹龙乎
二千五百多年前，世界上几个古老的文明国家都呈现了极为灿烂的文化，一些杰出的学者和思想家纷纷产生。在希腊，有大哲学家泰勒斯和赫拉克利特。
在印度，则有佛教的创始人释迦牟尼。
而中国时当东周末年春秋战国之际，人才更是辈出，百家争鸣。
墨
杂
纵横
道
名
阴阳
法
儒
农
其中以儒、道、墨、法四家影响最大，而道家学派的创始人便是「老子」。

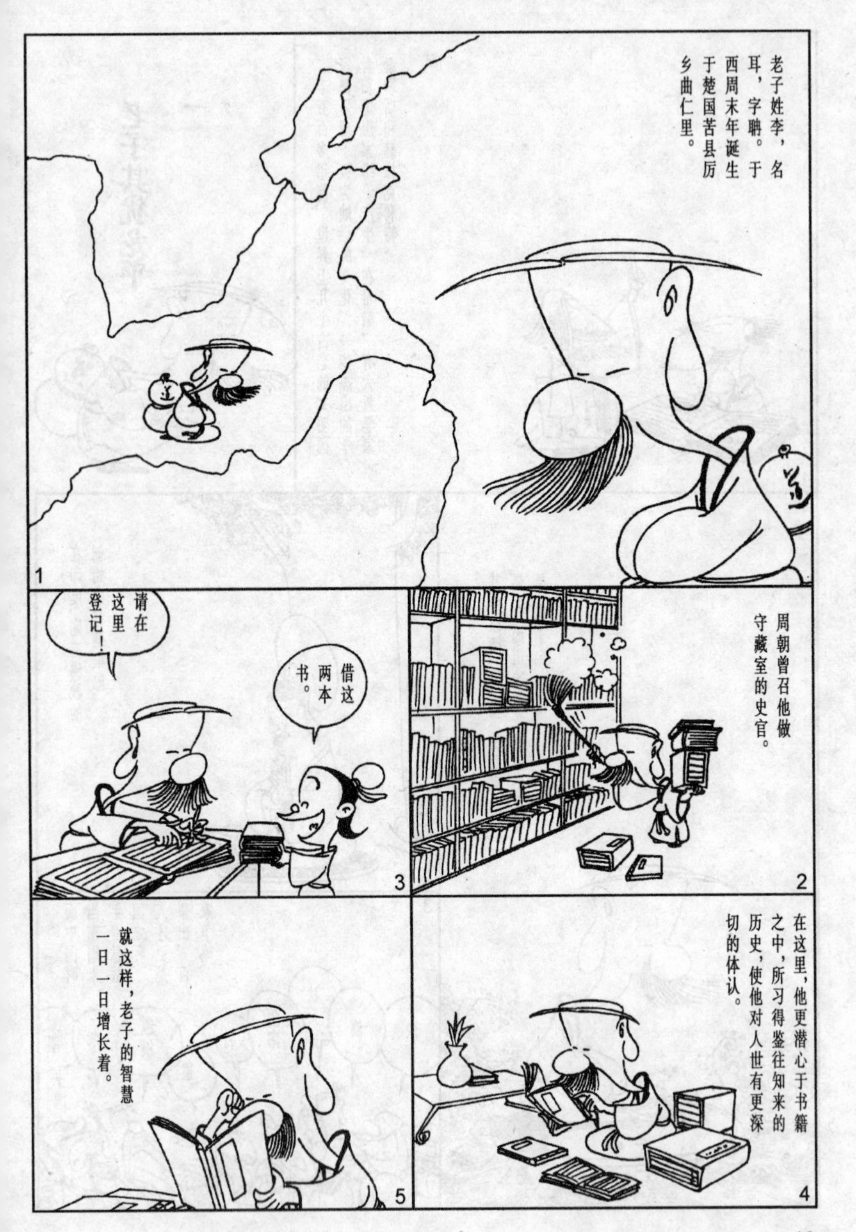
老子姓李，名耳，字聃。于西周末年诞生于楚国苦县厉乡曲仁里。
周朝曾召他做守藏室的史官。
请在这里登记！
借这两本书。
在这里，他更潜心于书籍之中，所习得鉴往知来的历史，使他对人世有更深切的体认。
就这样，老子的智慧一日一日增长着。

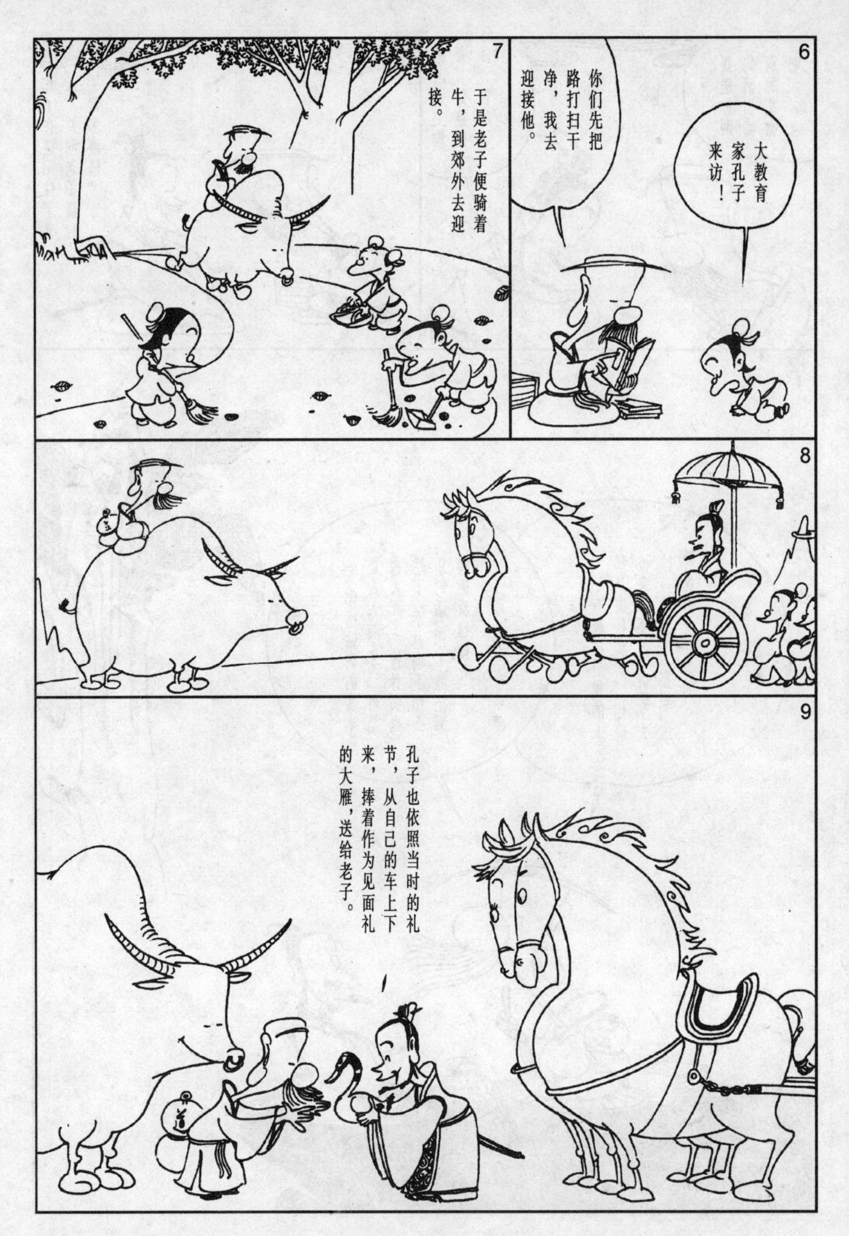
大教育家孔子来访！
你们先把路打扫干净，我去迎接他。
于是老子便骑着牛，到郊外去迎接。
孔子也依照当时的礼节，从自己的车上下来，捧着作为见面礼的大雁，送给老子。

孔子在洛阳住了几天，并向老子请教了很多事情。
谢谢先生教诲，受益良多。告辞了！
我送你两句话当临别的礼物吧！
一、你所钻研的多半是古人的东西，可是古人死了，连骨头也烂了，不过剩下那么几句话，你不能把那些话看得太死。
二、有极高道德的人都是很朴实的。你应该去掉骄傲、贪恋，去掉一些架子、妄想，这对你是有好处的。

孔子怀着感激的心情离开了洛阳，
回到鲁国后，常常赞美老子。
鸟，我知道
它会飞。
13
鱼，我知道
它会游水。
14
兽，我知道它会走。
15
但是龙，它在云端，
在天上，无法捉摸，
深不可测，李聃就像
龙一样啊！
16

17
老子看到周室逐渐衰微，便离开洛阳，西出函谷关。
18
我是守官令尹喜，也非常喜欢道术。
19
先生就将隐居，是否可为我写些东西，好教我有所依循来处事？
20
于是老子就写了一本书，分为上下篇，共有五千多字。
21
道
德
老子写好以后，就出关走了，从此就没有人知道他的下落。

上篇

道

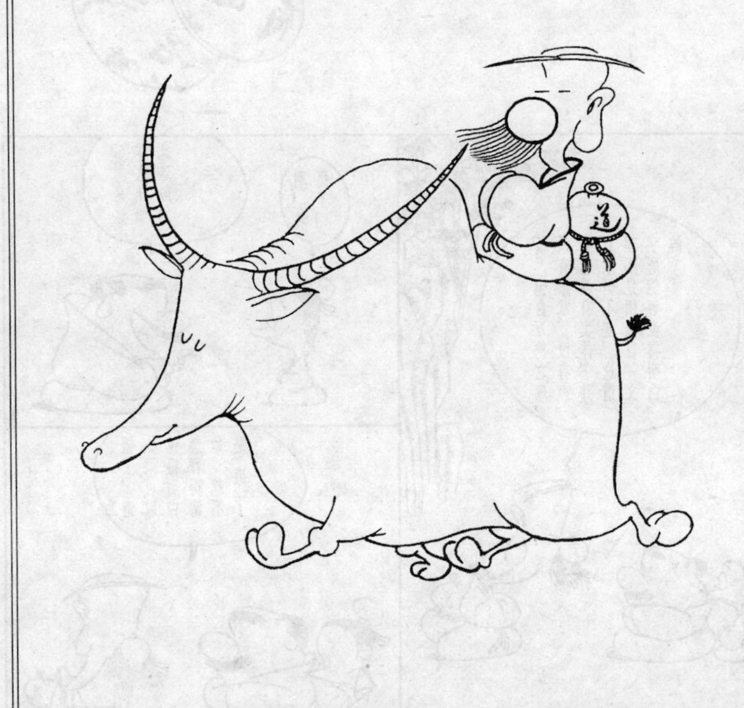

「道」可道，非常「道」。「名」可名，非常「名」。「无」，名天地之始；「有」，名万物之母。故常「无」，欲以观其妙；常「有」，欲以观其徼。此两者，同出而异名，同谓之玄。玄之又玄，众妙之门。

一

「道」是这样这样如此这般的……
啊！我懂了！
错了，「道」如果可以说得明白，解释得清楚，就不是「道」了。
「道」包含万物之理，没有形状，没有声音，没有实体，并且永恒不变，这道理不是用语言、文字所能解说得明白的。

4
这个包含万物的大道理叫做什么道理？
不能！不能！
5
这也是没有办法给它加上一个名称来称谓的。
因为你称它甲，它就不是乙，称它白，它就不是黑了。
6
要了解大道，不能执着语言、文字和名称。
完全要靠心灵去领悟，否则就会误入迷途了。
7
明了这个道理，就可以谈谈天地万物创生的情形了。
哇！好棒啊！快说！
8
天地开始的时候，没有物体，没有形象，这种情形，可以称之为「无」。「无」就是「道」的本体，宇宙的本源。

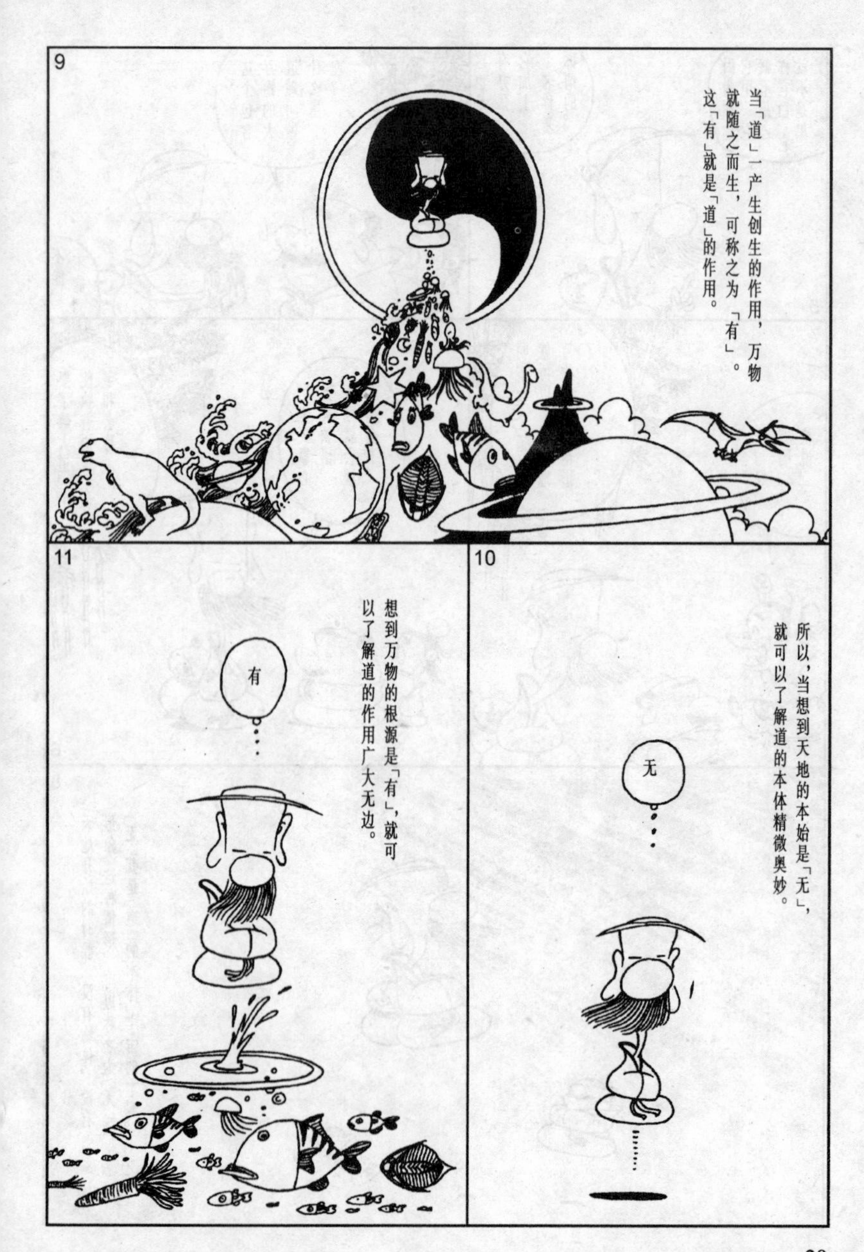
9
当「道」一产生创生的作用，万物就随之而生，可称之为「有」。这「有」就是「道」的作用。
10
所以，当想到天地的本始是「无」，就可以了解道的本体精微奥妙。
无
11
想到万物的根源是「有」，就可以了解道的作用广大无边。
有

12
「无」和「有」，一是道的本体，一是道的作用，可以说同出于道，只是名称不同而已！
有
無
13
都可以称为玄妙，玄妙而又玄妙啊！
14
那就是宇宙万物创生的本源「道」了。
道
宇宙的本体是「无」。由「无」而生天地，由天地而生万物，终于形成了万象纷纭的世界。

天下皆知美之为美，斯恶已；皆知善之为善，斯不善已。故有无相生，难易相成，长短相形，高下相倾，音声相和，前后相随。是以圣人处「无为」之事，行「不言」之教。万物作焉而不辞，生而不有，为而不恃，功成而弗居。夫惟弗居，是以不去。

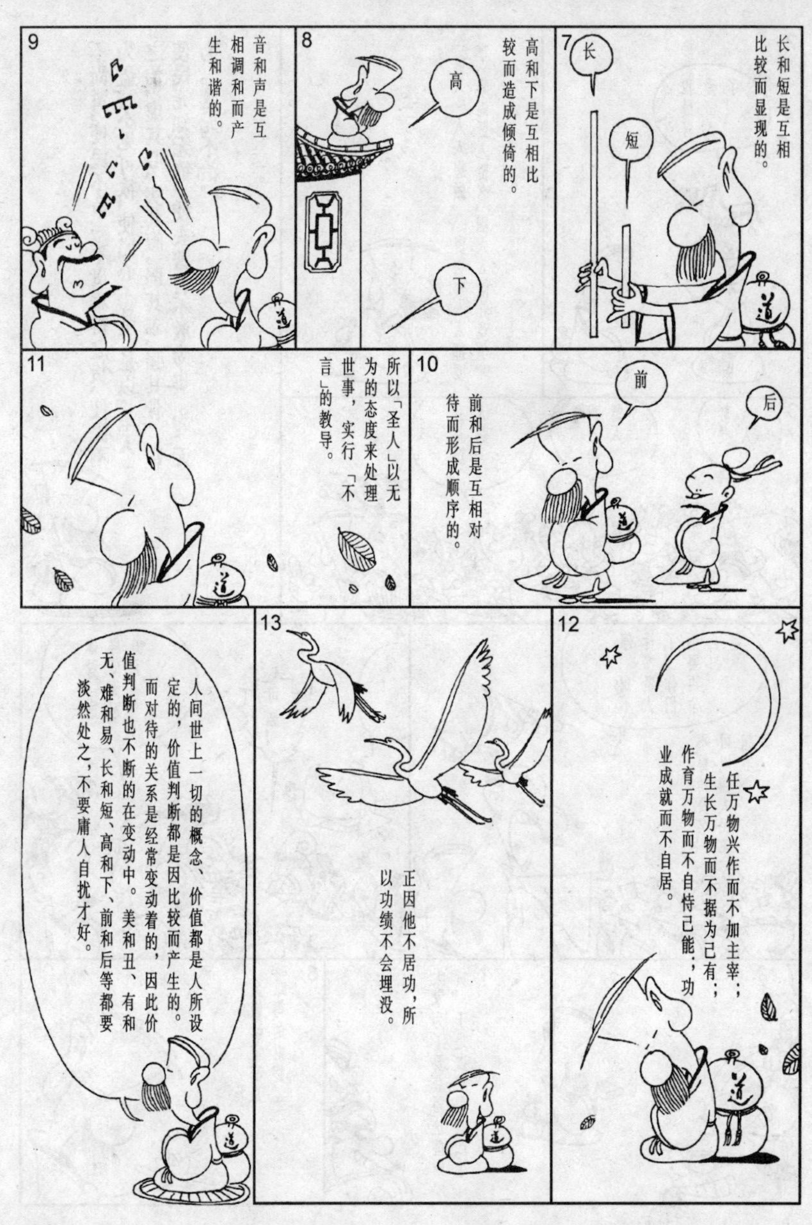
7
长和短是互相比较而显现的。
长
短
8
高和下是互相比较而造成倾倚的。
高
下
9
音和声是互相调和而产生和谐的。
10
前和后是互相对待而形成顺序的。
前
后
11
所以「圣人」以无为的态度来处理世事，实行「不言」的教导。
12
任万物兴作而不加主宰；生长万物而不据为己有；作育万物而不自恃己能；功业成就而不自居。
13
正因他不居功，所以功绩不会埋没。
人间世上一切的概念、价值都是人所设定的，价值判断都是因比较而产生的。而对待的关系是经常变动着的，因此价值判断也不断的在变动中。美和丑、有和无、难和易、长和短、高和下、前和后等都要淡然处之，不要庸人自扰才好。

不尚贤，使民不争；不贵难得之货，使民不为盗；不见可欲，使民心不乱。是以「圣人」之治，虚其心，实其腹，弱其志，强其骨。常使民无知无欲。使夫智者不敢为也。为「无为」，则无不治。

8
不珍贵难得的货品，可以使人民不起盗心。
9
名
不显现名利的可贪，可以使人民的心思不被惑乱。
10
所以圣人为政，要净化人民的心思，满足人民的安饱，减损人民的心志，增强人民的体魄。
11
常使人民没有伪诈的心智，没有争盗的欲念，使一些自作聪明的人不敢妄为。
12
这样顺其自然、无私无我的治理，国家就没有什么治理不好的了。
「名位」引起人的争逐，「财货」激起人的贪图。于是巧诈伪作就层出不穷了。这是导致社会混乱冲突的主要原因啊！

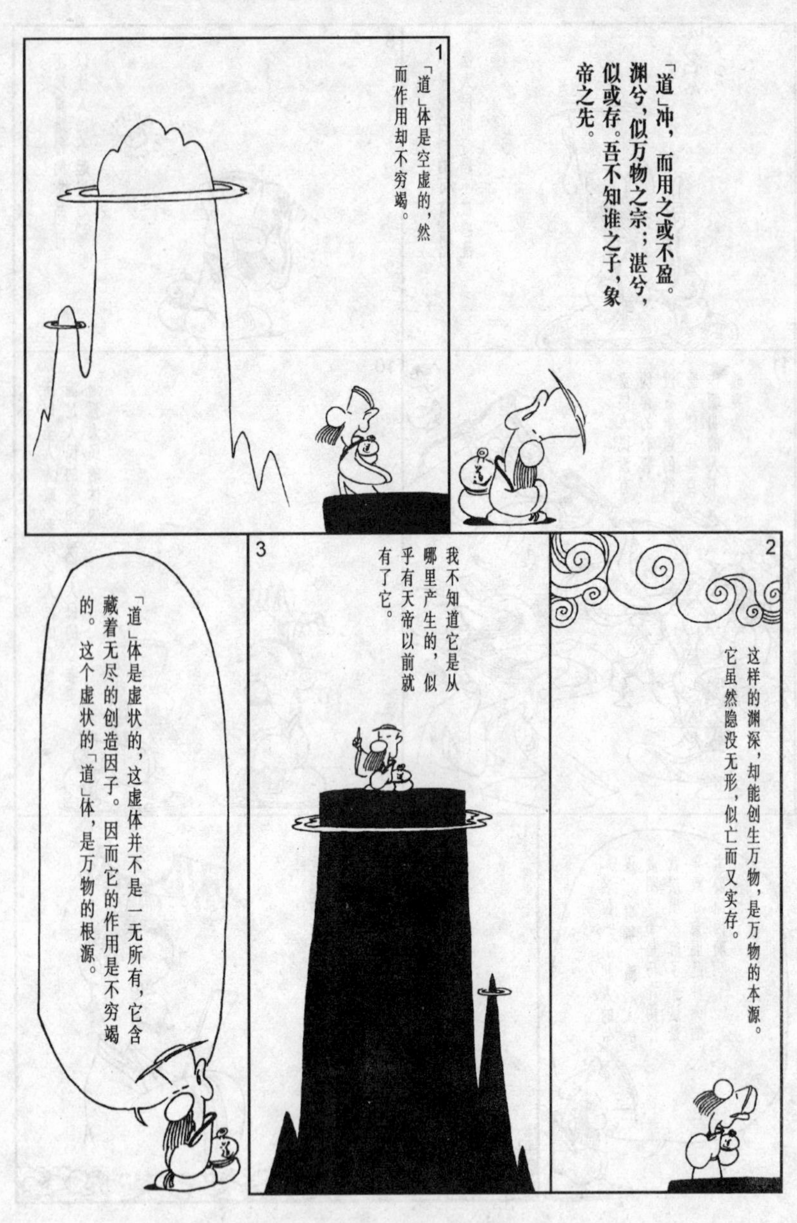

「道」冲，而用之或不盈。渊兮，似万物之宗；湛兮，似或存。吾不知谁之子，象帝之先。
1
「道」体是空虚的，然而作用却不穷竭。
2
这样的渊深，却能创生万物，是万物的本源。它虽然隐没无形，似亡而又实存。
3
我不知道它是从哪里产生的，似乎有天帝以前就有了它。
「道」体是虚状的，这虚体并不是一无所有，它含藏着无尽的创造因子。因而它的作用是不穷竭的。这个虚状的「道」体，是万物的根源。

天地不仁，以万物为刍狗；圣人不仁，以百姓为刍狗。天地之间，其犹橐龠乎？虚而不屈，动而愈出。多言数穷，不如守中。
1
天地是大公无私的，对万物一视同仁，把万物当做草扎的狗一样，没有喜爱，没有憎恨。
2
圣人也是大公无私的，把百姓当做草扎的狗一样，没有喜爱、没有憎恨，全部一视同仁。

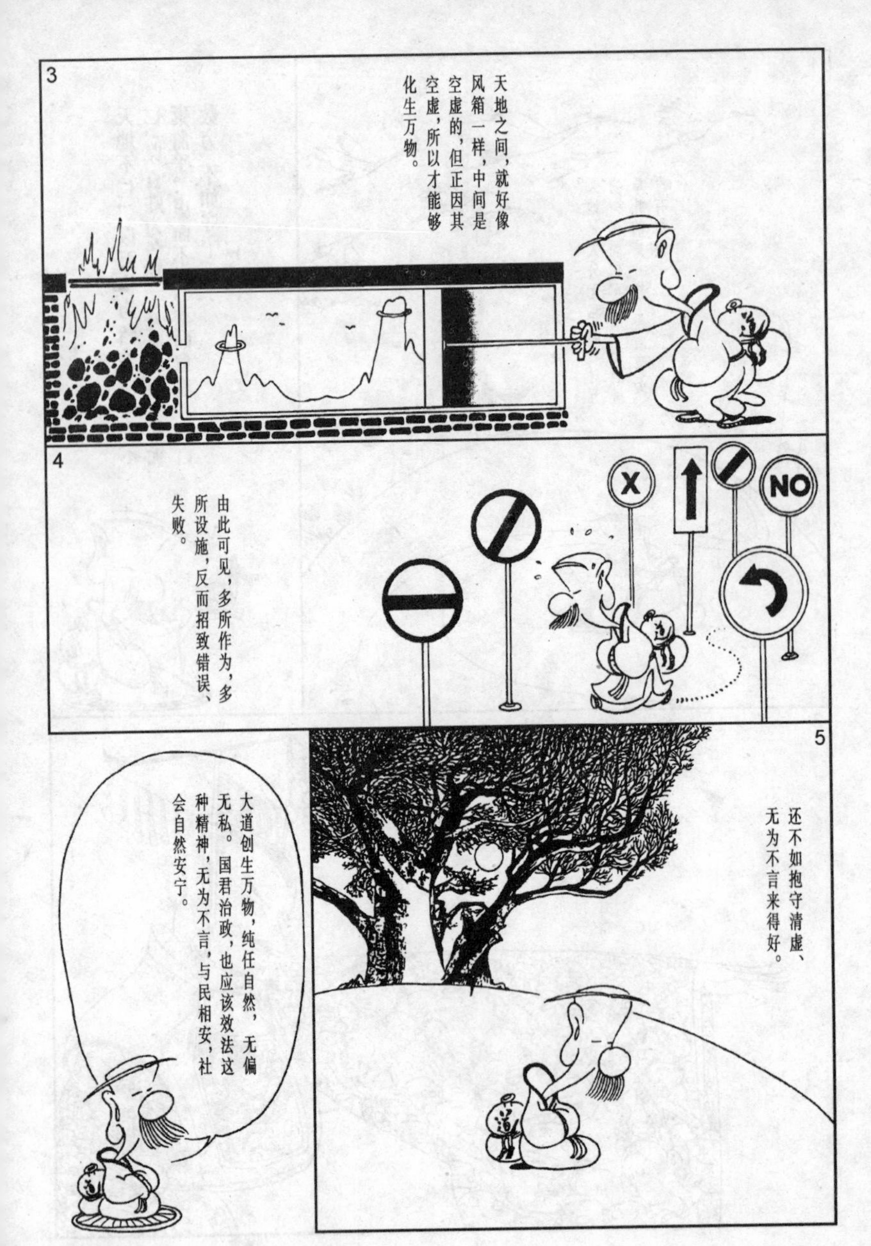
3
天地之间，就好像风箱一样，中间是空虚的，但正因其空虚，所以才能够化生万物。
4
X
NO
由此可见，多所作为，多所设施，反而招致错误、失败。
5
还不如抱守清虚、无为不言来得好。
大道创生万物，纯任自然，无偏无私。国君治政，也应该效法这种精神，无为不言，与民相安，社会自然安宁。

谷神不死，是谓玄牝。玄牝之门，是谓天地根。绵绵若存，用之不勤。

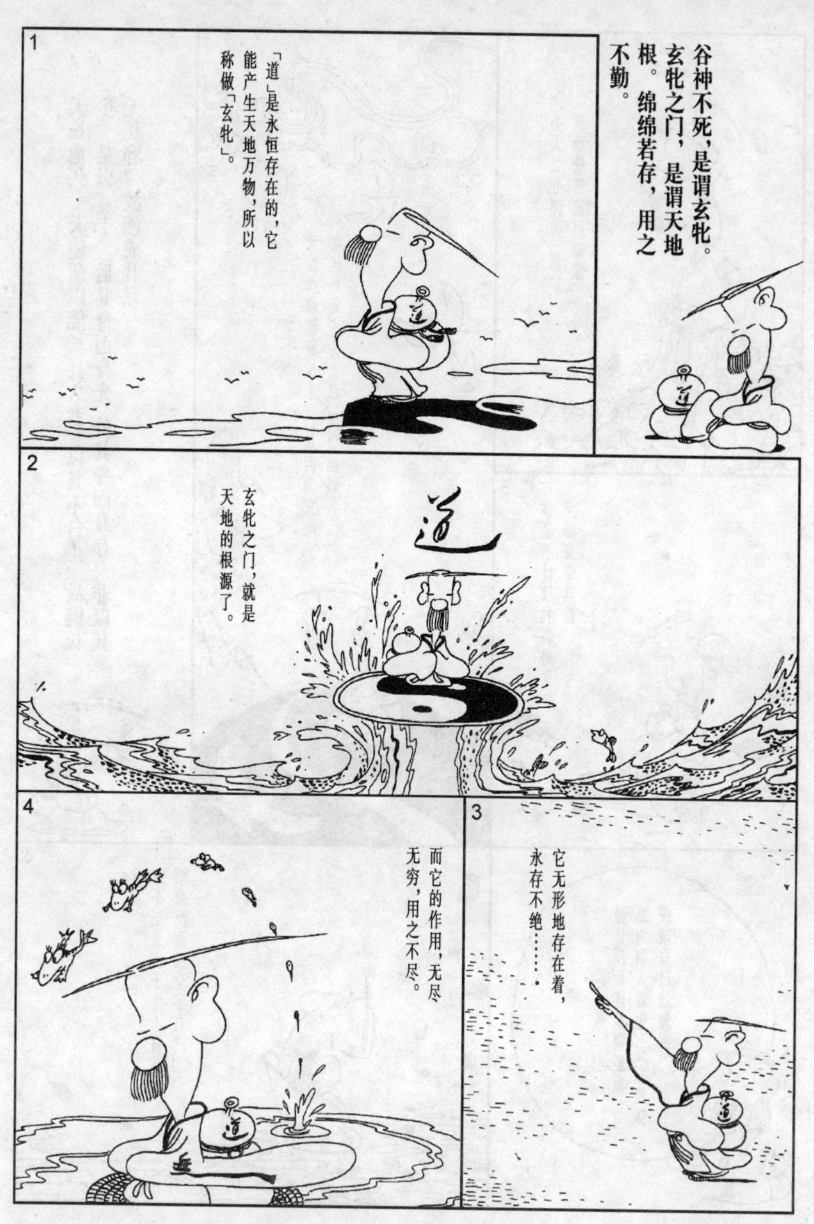

1
「道」是永恒存在的，它能产生天地万物，所以称做「玄牝」。
2
道
玄牝之门，就是天地的根源了。
3
它无形地存在着，永存不绝……
4
而它的作用，无尽无穷，用之不尽。

天长地久。天地所以能长且久者，以其不自生，故能长生。是以「圣人」后其身而身先，外其身而身存。非以其无私邪？故能成其私。
1
天地所以能够长久，乃是因为它的一切运作都不为自己，所以能够长久。
2
圣人处处谨虚、退让，反而能够赢得爱戴。
3
事事不计较利害得失，反而身受其益。
4
这不正是由于他不自私，结果反而成全了自己！
谦让反而能赢得爱戴，处处为别人着想，反而能够成就自己的理想。

上善若水。水善利万物而不争，处众人之所恶，故几于道。居善地，心善渊，与善仁，言善信，正善治，事善能，动善时。夫惟不争，故无尤。
1
有道德的人就像「水」一样！
2
水有三种特性，第一是能够滋养万物。
3
第二是本性柔弱，顺自然而不争。
4
第三是蓄居流注于人人所厌恶的卑下之处。

5
水处于卑下的地方，有道德的人为人谦下。
6
水渊深清明，有道德的人虚静沉默。
7
水施与万物，有道德的人博施不望报。
8
水照万物，各如其形，有道德的人所言至诚，绝不虚伪。
9
水性柔弱，能方能圆，人能效法水的不争，就能产生「利万物」、「谦下」的效果，于是就接近「道」了。

持而盈之，不如其已；揣而锐之，不可长保。金玉满堂，莫之能守；富贵而骄，自遗其咎。功遂身退，天之道！
1
盛在任何器皿里的水，太满了就要溢出来。
2
够了，够了，八分满就够了！
3
刀锥能用就行了，如果磨得太锐利……
4
锋芒太露，就很容易折断。
5
一个人金银财宝太多了，会遭到别人的觊觎。

6
也会因生活糜烂，最后反而不能保有这些财宝。
7
完了……钱花光了……
8
所以人在成功之后，就激流勇退，这才合于自然之道。
9
就像上天一样：上天生万物，也是生而不有，为而不恃，功成而不居啊……

载营魄抱一，能无离乎？
专气致柔，能如婴儿乎？
涤除玄览，能无疵乎？
爱国治民，能无为乎？
天门开阖，能为雌乎？
明白四达，能无知乎？
1
心中紧守着道，能精神和形体合一，而不分离吗？
2
听任生理的本能，导致最柔和的心境，能像婴儿一样吗？
3
摒除心智的作用，能没有瑕疵吗？
4
爱国治民，能自然无为吗？
5
感官和外界接触，能安静谨慎吗？
6
智无不照，能不用心机吗？
生活必须是形体和精神合一而不偏离。能守「道」，可使肉体生活与精神生活臻至于一种和谐的状况。

三十辐，共一毂，当其无，有车之用。埏埴以为器，当其无，有器之用。凿户牖以为室，当其无，有室之用。故有之以为利，无之以为用。

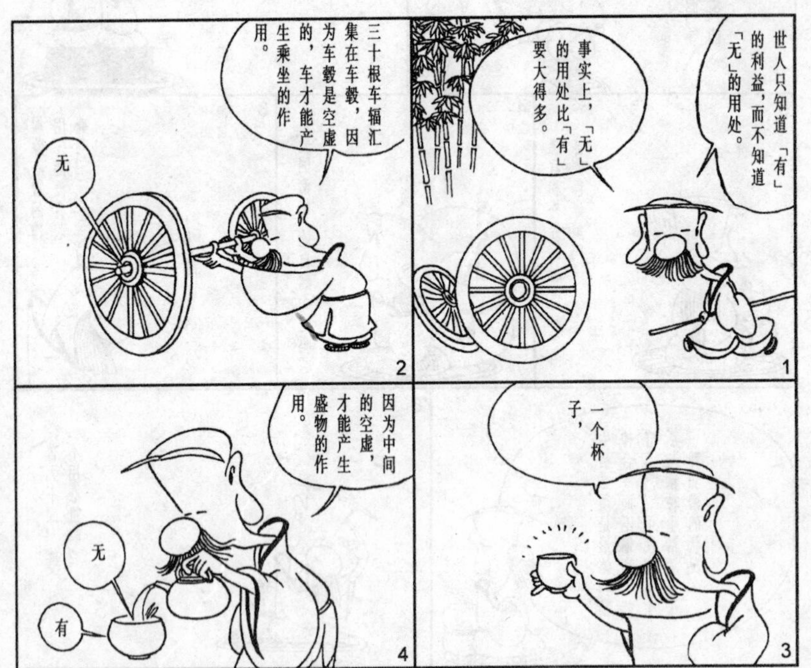

世人只知道「有」的利益，而不知道「无」的用处。
事实上，「无」的用处比「有」要大得多。
1
三十根车辐汇集在车毂，因为车毂是空虚的，车才能产生乘坐的作用。
无
2
一个杯子，
3
因为中间的空虚，才能产生盛物的作用。
无
有
4

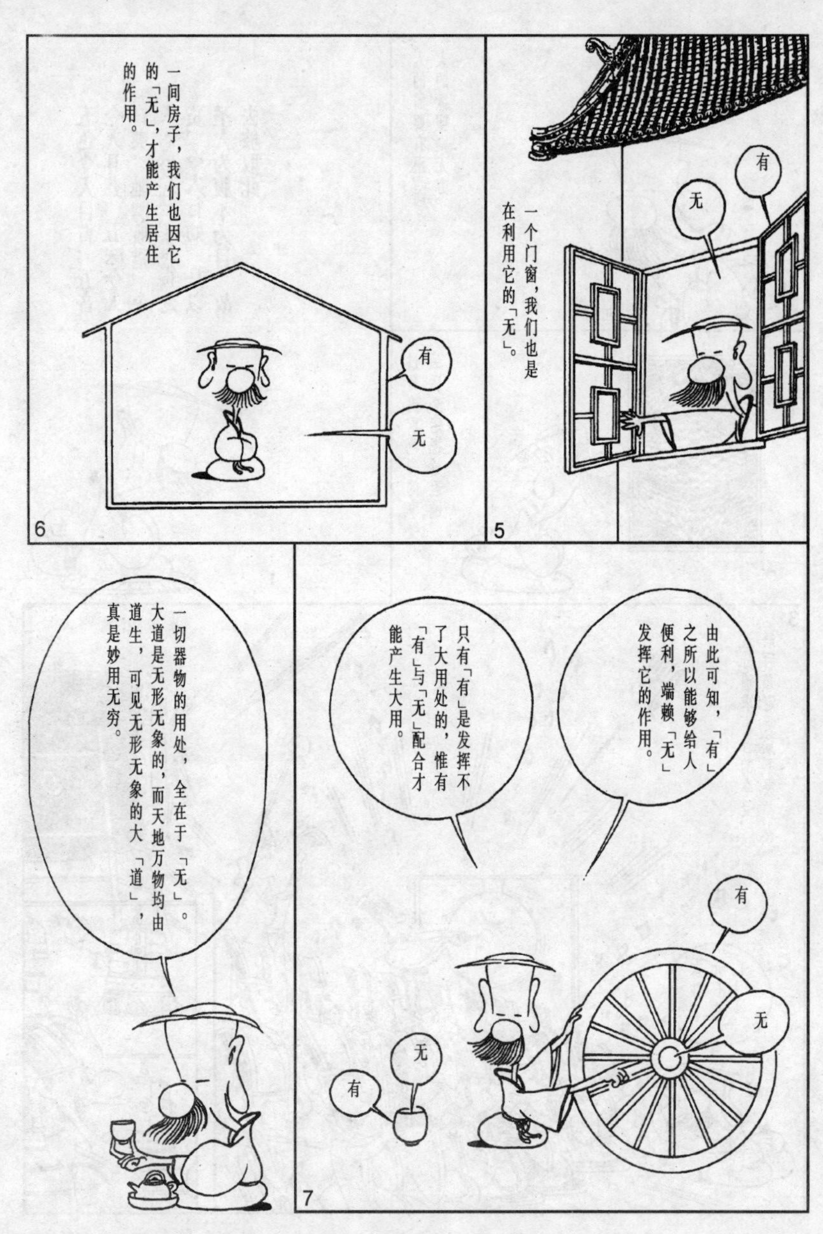
5
一个门窗，我们也是在利用它的「无」。
无
有
6
一间房子，我们也因它的「无」，才能产生居住的作用。
有
无
7
由此可知，「有」之所以能够给人便利，端赖「无」发挥它的作用。
只有「有」是发挥不了大用处的，惟有「有」与「无」配合才能产生大用。
有
无
无
有
一切器物的用处，全在于「无」。大道是无形无象的，而天地万物均由道生，可见无形无象的大「道」，真是妙用无穷。

五色令人目盲；五音令人耳聋；五味令人口爽。驰骋畋猎，令人心发狂；难得之货，令人行妨。是以圣人为腹不为目，故去彼取此。

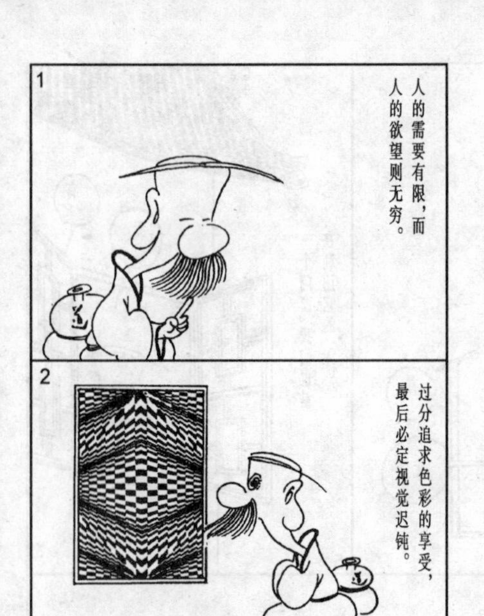

4
过分追求味道的享受，最后必定味觉丧失，食不知味。
5
过分纵情于玩乐，最后必定弄得心神不宁，神不守舍。
6
过分追求金银珠宝，最后必行伤德坏，身败名裂。
7
所以体道的圣人，生活简单，只求填饱肚子，不求官能享受。宁取质朴宁静，不求奢侈浮华。
無慾
欲海难填，不能去欲，必遭灭顶。过分追求欲望而不能节制，其结果不仅不能感到满足、舒适，反而会感到痛苦，丧失自我。

宠辱若惊，贵大患若身。何谓宠辱若惊？宠为下，得之若惊，失之若惊，是谓宠辱若惊。何谓贵大患若身？吾所以有大患者，为吾有身，及吾无身，吾有何患？故贵以身为天下，若可寄天下；爱以身为天下，若可托天下。
1
世人得失名利的心太重，所以得到荣宠和受到屈辱都身惊害怕。
宠……
辱……
2
畏惧大的祸患，也因而身惊。为什么呢？
3
因为在世人的心目中，荣宠是高尚的，得到荣宠就觉得高贵，因而怕失去荣宠。

屈辱是低下的，受到屈辱就觉得丢人，所以害怕受屈辱。
我们所以有大的祸患，那是因为我们常想到「自己」的关系……
假如我们能够忘了「自己」，那还有什么祸患呢？
所以，如果有一个人愿意牺牲自己为天下人服务，就可以把天下交给他。
人应无私，忘我。若能置生死于度外，则一切宠辱祸福，都不足以动摇其心志了，那还何「惊」之有呢？

视之不见，名曰夷；听之不闻，名曰希；搏之不得，名曰微。此三者不可致诘，故混而为一。其上不皦，其下不昧，绳绳不可名，复归于无物。是谓无状之状，无物之象，是谓惚恍。迎之不见其首，随之不见其后。执古之道，以御今之有。能知古始，是谓道纪。
1
看它看不见，叫做「夷」；
2
听它听不见，叫做「希」；
3
摸它摸不着，叫做「微」。
4
因为道无色、无声、无形，所以它的形象无法穷究，是混沌一体的。

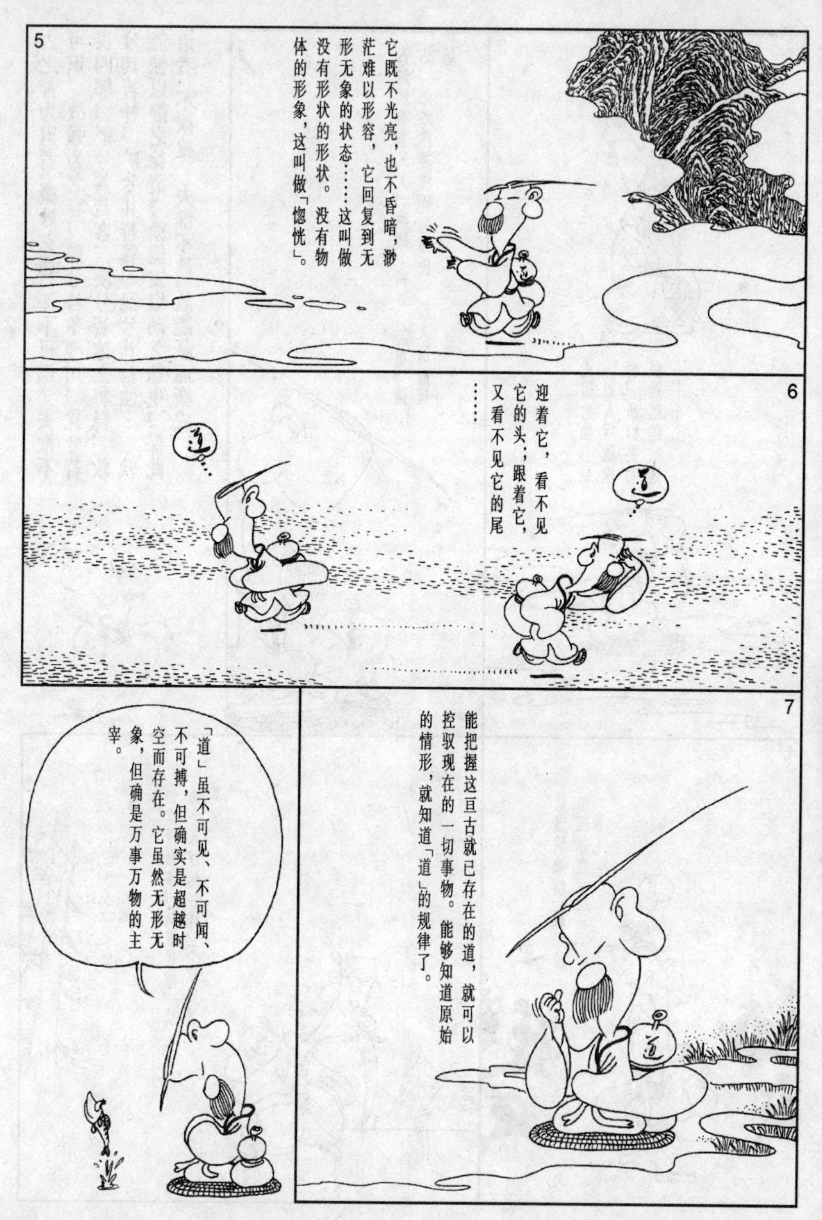
5
它既不光亮，也不昏暗，渺茫难以形容，它回复到无形无象的状态……这叫做没有形状的形状。没有物体的形象，这叫做「惚恍」。
6
迎着它，看不见它的头；跟着它，又看不见它的尾……
道
道
7
能把握这亘古就已存在的道，就可以控驭现在的一切事物。能够知道原始的情形，就知道「道」的规律了。
道
「道」虽不可见、不可闻、不可搏，但确实是超越时空而存在。它虽然无形无象，但确是万事万物的主宰。

古之善为道者，微妙玄通，深不可识。夫惟不可识，故强为之容：豫兮若冬涉川；犹兮若畏四邻；俨兮其若客；涣兮若冰之将释；敦兮其若朴；旷兮其若谷；混兮其若浊……孰能浊以静之徐清？孰能安以动之徐生？保此道者，不欲盈。夫惟不盈，故能蔽而新成。
1
古时候得道的人，幽微、精妙、玄奥、通达，他的精神境界远超出一般人所能理解……
2
正因为他不是一般人所能理解，所以要勉强地把他描述一下……
3
他立身行事，犹豫畏缩，就像冬天涉河一样，不敢贸然下水；
4
他谨慎戒惧，就好像怕四邻窥伺一样；

5
他为人处事庄重拘谨，就像做客人一样；
6
他修道进德、除情去欲，就像春冰的融化一样；
7
他的本质敦厚朴实，就像未经雕琢的素材；
8
他的胸怀宽广、态度谦下，就像幽深的山谷；
9
他的表现浑噩愚昧、不露锋芒，就像混浊的大水一样；

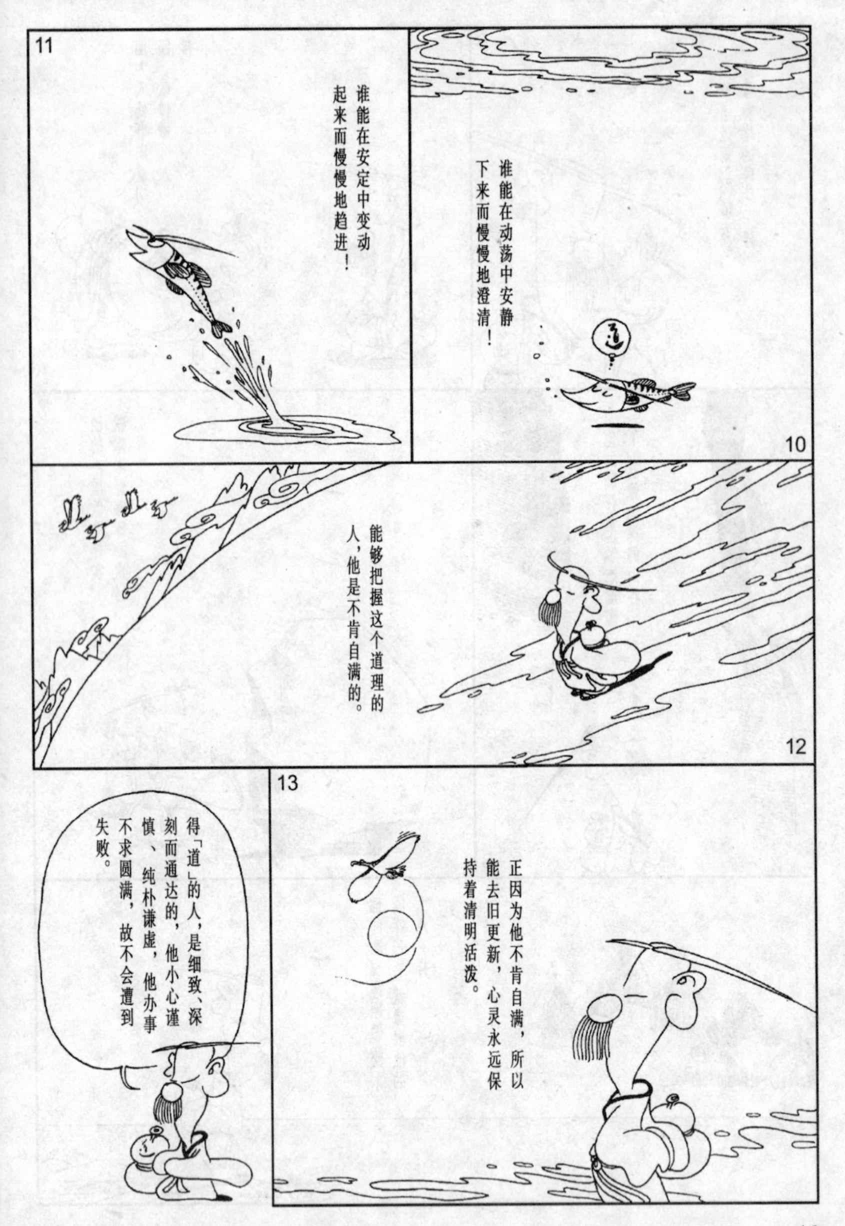
10
谁能在动荡中安静下来而慢慢地澄清！
11
谁能在安定中变动起来而慢慢地趋进！
12
能够把握这个道理的人，他是不肯自满的。
13
正因为他不肯自满，所以能去旧更新，心灵永远保持着清明活泼。
得「道」的人，是细致、深刻而通达的，他小心谨慎、纯朴谦虚，他办事不求圆满，故不会遭到失败。

致虚极，守静笃。万物并作，吾以观复。夫物芸芸，各复归其根。归根曰静，是谓复命。复命曰常，知常曰明。不知常，妄作，凶。知常容，容乃公，公乃全，全乃天，天乃道，道乃久。没身不殆。
1
人的心灵本来是虚明、宁静。
2
玉！
但往往为私欲所蒙蔽，
3
因而观物不得其正，行事则失其常。
4
所以我们要尽力使心回复到虚明宁静的状态。这样就能够看清万物蓬勃生长，看出往复循环的道理。

5
万物纷纷纭纭，各自返回到它的根本，这叫做「静」，也叫做「常」。了解「常」叫做「明」。不了解「常」而轻举妄动，就会有祸害。
6
了解「常道」的人是无所不包；就能坦然大公，才能做到无不周遍，才能符合自然，才能符合于「道」。
7
符合「大道」才能永垂不朽，这样，终身也不会有任何危险了。
「致虚」和「守静」的功夫做到极笃，就能明察事理，能洞知万物变化的常规，就能深得自然的妙趣，而与道同体。
道
道
道

太上，不知有之；其次，亲而誉之；其次，畏之；其次，侮之。信不足焉，有不信焉。悠兮其贵言。功成事遂，百姓皆谓：「我自然。」
1
国君治理国政，可分为四个等级。最上等的国君，推行不言的教化，使人民各顺其性、各安其生。
我只知道有国君，但不知道他到底为我们做些什么？
2
次一等的国君，用德教感化人民，用仁义治理人民。
我们的国君很棒，为我们做了很多事情！

3
第三等的国君，用政教治理人民，用刑法威吓人民。
我们的国君管我们很严、很凶，很可怕！
4
第四等的国君，用权术愚弄人民，用诡计欺骗人民。
我们的国君太欺负老百姓了，我们要起来抗暴！
5
最好的政治是「无为而治」，人民各顺其性，各安其生，得到了最大的益处。功成事遂，老百姓还浑然不觉，说是自然如此的哩！
这是我们自然如此的啊！
为政者，像是肺之于人体，最好的肺是你没感到有它在替我们呼吸工作。当你天天感到肺在替你呼吸，那么，这个肺已经有病了！

大道废，有仁义；智慧出，有大伪；六亲不和，有孝慈；国家昏乱，有忠臣。

1
上古的时候，人民诚实，不识不知，根本没有虚伪。
2
中古的时候，民情日凿，于是治天下的人就用他的智慧创造了制度法令来治理人民。
用智慧来防止逃税！
用智慧来逃税！
于是虚伪诡诈也随之而产生了。
3
家族中人都能坦诚相与、和睦相处，根本就用不着孝和慈。
4
等到六亲失和，孝慈才因而产生了。
要和睦！
要孝顺！
要听话！

国家清明的时候，臣子们各司其职，各尽其职，没有所谓的忠臣。
他们都是我的臣子！
5
国家昏乱以后，臣子不能负责尽职，忠臣才随之产生了。
6
仁义、智慧、孝慈、忠臣，这些都是在大道废弃、纯朴破灭以后才产生的。它们的产生，正说明了道德的破产、人心的堕落。这是社会退步，而不是进步。
道
他才是我的忠臣！
7

绝圣弃智，民利百倍；绝仁弃义，民复孝慈；绝巧弃利，盗贼无有。此三者以为文，不足，故令有所属：见素抱朴，少私寡欲。
1
抛弃了聪明和智慧，人民才有百倍的利益；
2
抛弃了仁和义，人民才能回到孝慈；
3
抛弃了巧和利，盗贼自然会绝迹。
4
圣智
仁义
巧利
圣智、仁义、巧利，这三者都是文采罢了，是不足以治理天下的。
5
所以要使人民另外有所遵循，那便是：外表纯真，内心朴素，减少私心，降低欲望。
见素
少私
抱朴
寡欲
圣智、仁义、巧利，都是人为，不仅不能为人类带来利益，反而会产生灾害；反朴归真，一切虚伪争夺就会自然消失。

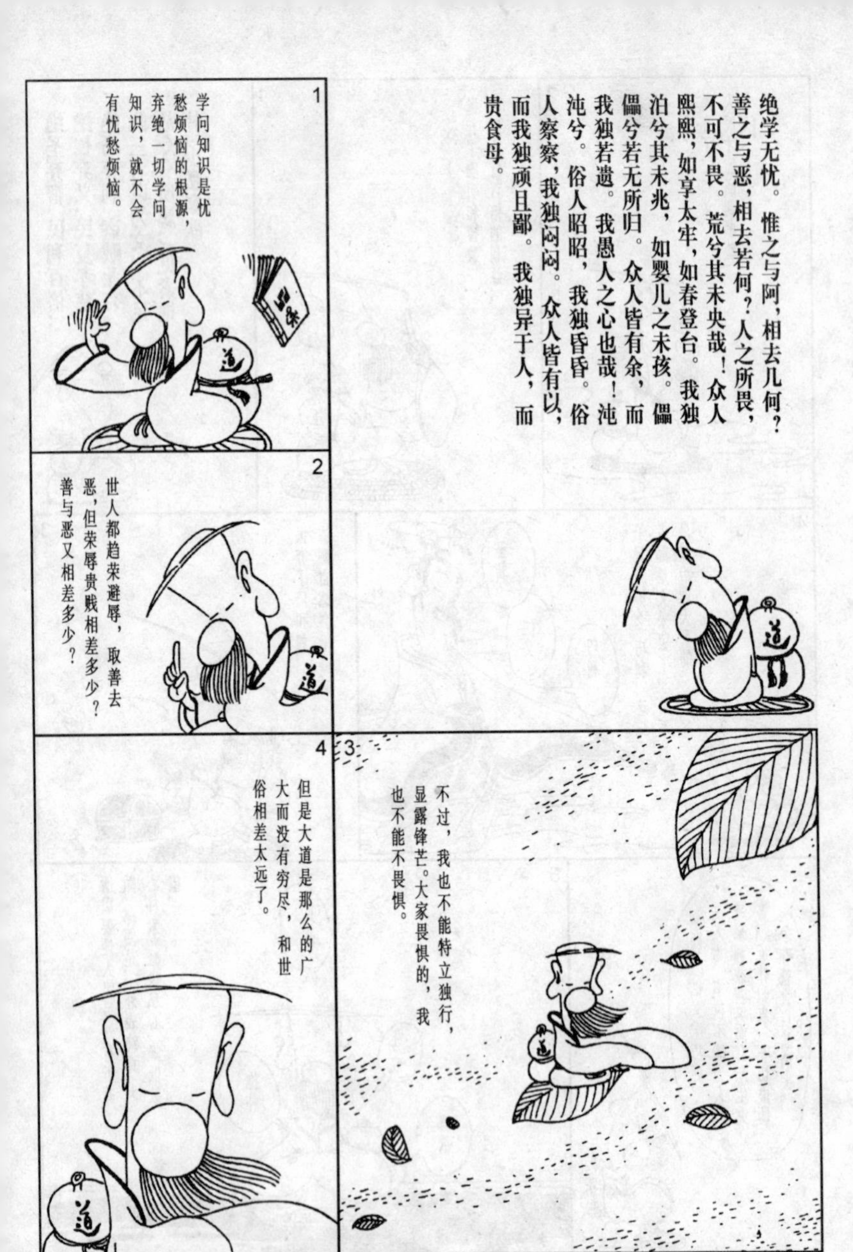
绝学无忧。惟之与阿，相去几何？善之与恶，相去若何？人之所畏，不可不畏。荒兮其未央哉！众人熙熙，如享太牢，如春登台。我独泊兮其未兆，如婴儿之未孩。儽儽兮若无所归。众人皆有余，而我独若遗。我愚人之心也哉！沌沌兮。俗人昭昭，我独昏昏。俗人察察，我独闷闷。众人皆有以，而我独顽且鄙。我独异于人，而贵食母。
1
学问知识是忧愁烦恼的根源，弃绝一切学问知识，就不会有忧愁烦恼。
2
世人都趋荣避辱，取善去恶，但荣辱贵贱相差多少？善与恶又相差多少？
3
不过，我也不能特立独行，显露锋芒。大家畏惧的，我也不能不畏惧。
4
但是大道是那么的广大而没有穷尽，和世俗相差太远了。

众人都兴高采烈的样子，好像参加丰盛的筵席，又像春天登台眺望景色。
5
惟独我恬淡无动于衷，好像不知嬉笑的婴儿。疲惫的样子，好像无家可归！
6
众人都有多余，惟独我好像不足的样子。我真是愚人的心肠啊！浑沌的样子。
7
世人都光耀自炫，惟独我昏昏昧昧的样子。
8
世人都精明灵巧，惟独我无所识别的样子。
9
众人都好像很有作为，惟独我愚昧而笨拙。我和世人不同，而重视「道」的生活。
道
贵、贱、善、恶、是、非、美、丑，这些价值判断并没有绝对性，只不过是相对形成的，经常随时代、环境而更改。世俗的人纵情于声、色、货、利。生活应该甘守淡泊，淡然无系，但求精神的提升。

孔德之容，惟道是从。道之为物，惟恍惟惚。惚兮恍兮，其中有象；恍兮惚兮，其中有物。窈兮冥兮，其中有精。其精甚真，其中有信。自古及今，其名不去，以阅众甫。吾何以知众甫之状哉？以此。

1
有德之人的一行一动，都以「道」为准则。
道
2
「道」这东西，说它是无又似乎有……
道
3
说它是实又似乎虚……
道
4
它是恍恍惚惚的，可是在恍惚之中，它又具备了宇宙形象；在恍惚之中，它又涵盖了天地万物。
道

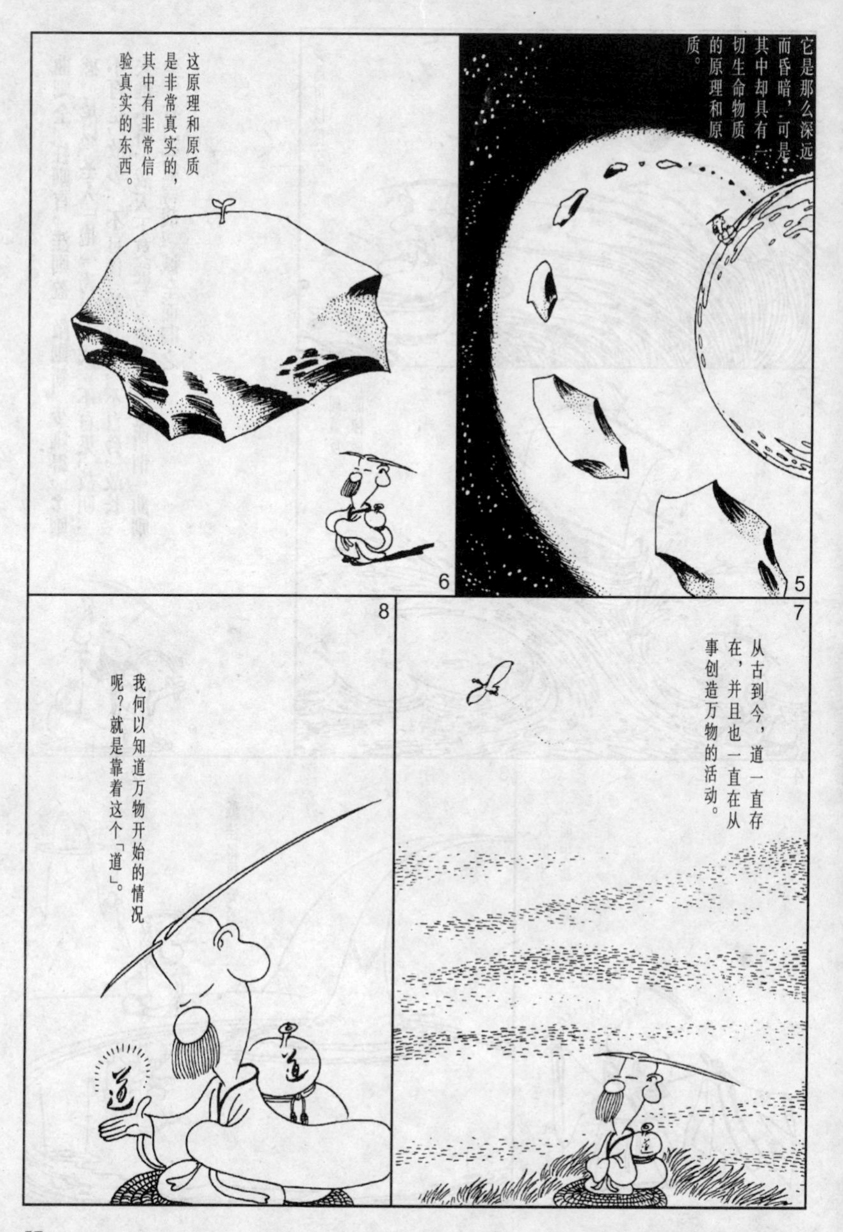
它是那么深远而昏暗，可是其中却具有一切生命物质的原理和原质。
这原理和原质是非常真实的，其中有非常信验真实的东西。
从古到今，道一直存在，并且也一直在从事创造万物的活动。
我何以知道万物开始的情况呢？就是靠着这个「道」。
道
道

曲则全，枉则直，洼则盈，敝则新，少则得，多则惑。是以「圣人」抱一为天下式。不自见，故明；不自是，故彰；不自伐，故有功；不自矜，故长。夫惟不争，故天下莫能与之争。古之所谓「曲则全」者，岂虚言哉！诚全而归之。

5
少取反而多得。
有道。
有德。
6
贪多弄得迷惑。
7
所以圣人守「道」，作为天下事理的范式。
8
不自我表扬，反能显明；不自以为是，反能彰显；不自己夸耀，反能见功；不自我矜持，反能长久。
9
正因为不跟人争，所以天下没有人和他争。古人说：「委曲可以保全」等话，怎么会是空话呢？
常人总是追求事物的显象，求「全」求「盈」，因而引起无数争纷。人应处柔守弱，谦虚退让，而达到「不争」的境界。

希言自然。故飘风不终朝，骤雨不终日。孰为此者？天地。天地尚不能久，而况于人乎？故从事于道者，同于道；德者，同于德；失者，同于失。同于道者，道亦乐得之；同于德者，德亦乐得之；同于失者，失亦乐得之。信不足焉，有不信焉。

1
治理政事要无为而治，一切顺应自然。
2
所以狂风刮不了一早晨。
3
暴雨下不了一整日。

4
谁造成这样的情形呢？是天地。天地造成的狂风暴雨尚且不能长久，何况人造成的苛刑虐政呢？
5
所以从事于道的人，就能得到道；
道
6
从事于德的人，就能得到德；
德
7
从事于不道不德的人，就能得到不道不德。
8
得到道的人，道也乐于得到他；
道

9
得到德的人，德也乐于得到他；
10
得到不道不德的人，不道不德也乐于得到他。
差劲！
没品。
11
为政者的诚信不足，人民就自然不信任他。
哇！
治理政事当依循自然、顺从民意，不可妄作非为。妄作非为必不能长久，因为天地妄作狂风暴雨都不能长久，何况人呢？

企者不立，跨者不行。自见者不明，自是者不彰，自伐者无功，自矜者不长。其在道也，曰余食赘形，物或恶之，故有道者不处。
1
抬起脚跟想要站得高的，反而站不牢；
2
两步并作一步走的，反而快不了；
3
专靠自己的眼睛看的，反而看不分明；
瞧，我这文章写得多好！
不怎么样啊！
4
自以为是的，反而判不清是非；
错
我的判断一定没错。
错

5
瞧瞧我有多棒！
自我夸耀的，反而没有功劳。
神气个鬼……
6
自大自满的，反而不能长久。
7
自以为是
自满
自大
自夸
这些行为对道来说，都是些剩饭赘瘤，都是多余的，不仅无益，反而有害。
8
一般人尚且厌恶，所以有道之士，更不会这样做了。
！
人应顺应自然，遇事谦下退让，不可争胜逞强；因为过分求进争强，违背自然，反而不彰。

有物混成，先天地生。寂兮寥兮，独立而不改，周行而不殆，可以为天下母。吾不知其名，强字之曰道。强为之名曰大。大曰逝，逝曰远，远曰反。故道大，天大，地大，人亦大。域中有四大，而人居其一焉。人法地，地法天，天法道，道法自然。

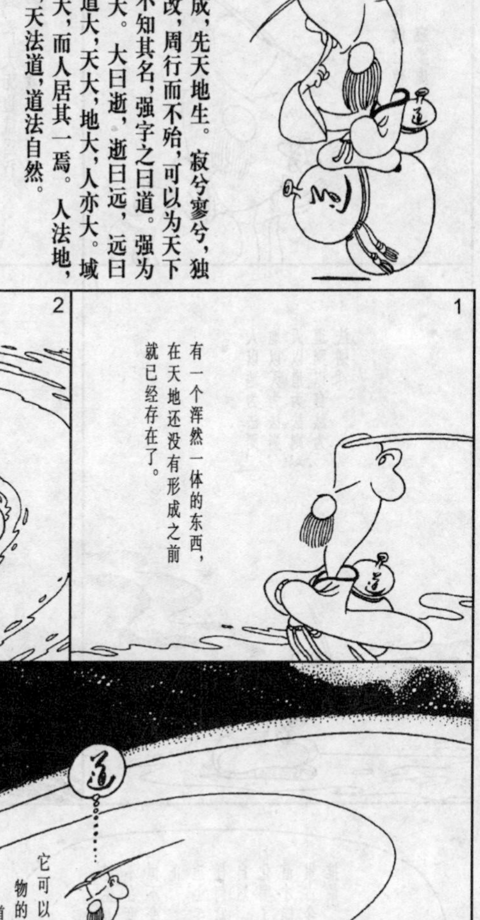

1
有一个浑然一体的东西，在天地还没有形成之前就已经存在了。
2
无声啊！又无形！它永远不依靠外在的力量，不停地循环运行。
3
它可以算作天下万物的根本。我不知道它的名字，所以把它叫做「道」。

4
勉强地描述它的形状，可说广大无边，广大无边就运行不息，运行不息就无远不到……
5
无远不到就返转还原，又返回到寂寥虚无。
6
所以说：道大，天大，地大，人也大，宇宙间有四大，而人居其一。
7
人以地为法则，地以天为法则，天以道为法则，道则以自然为法则。
道生万物，万物无时不在变化，惟有道永恒不变，作用永不停止。
道创生万物，并非有任何意图，只是顺应自然，听任万物的自化罢了，正因如此，道才能包举天地，纵贯古今，而为万物所推戴。

重为轻根，静为躁君。是以君子终日行不离辎重；虽有荣观，燕处超然。奈何万乘之主，而以身轻天下？轻则失根，躁则失君。
1
稳重为轻浮的根本，
轻
重
2
清净是急躁的主帅。
静
躁
3
所以体道的君子整天行走，却不离开辎重；

4
虽然有华丽的物质享受，却能泰然处之，不受它左右。
5
一个万乘之国的君主，怎么可以轻浮急躁地来治理天下呢？
6
轻浮就失去了根本，急躁就不能清静了。
重能御轻，静能制动，治理国家的人应该要处重守静，夷险一节，这样才能置国家于泰山之安。如果轻率将事，妄作妄为，必将身亡国灭了。

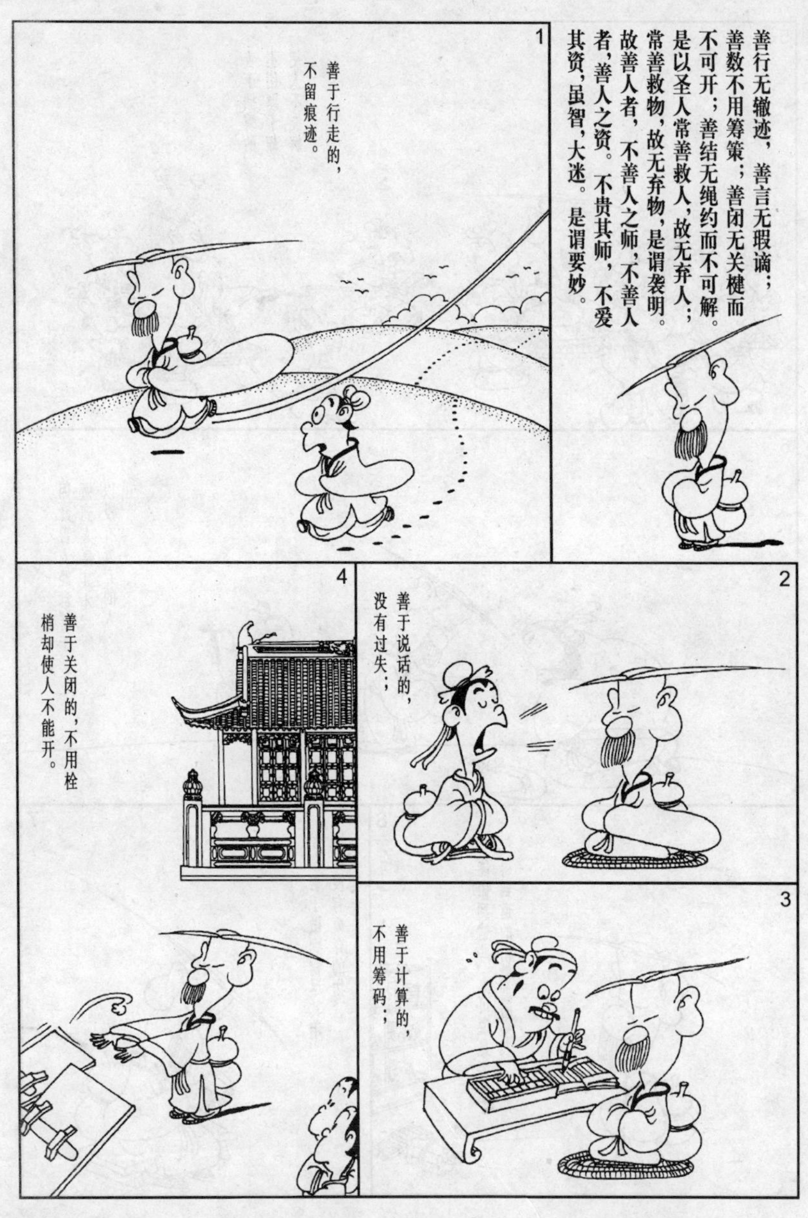
善行无辙迹，善言无瑕谪；善数不用筹策；善闭无关楗而不可开；善结无绳约而不可解。是以圣人常善救人，故无弃人；常善救物，故无弃物，是谓袭明。故善人者，不善人之师，不善人者，善人之资。不贵其师，不爱其资，虽智，大迷。是谓要妙。
1
善于行走的，
不留痕迹。
2
善于说话的，
没有过失；
3
善于计算的，
不用筹码；
4
善于关闭的，不用栓
梢却使人不能开。

5
善于捆缚的，
不用绳索却
使人不能解。
6
因此善人经常善于
做到人尽其才，所
以没有废弃的人；
7
经常善于做到物尽其用，
所以没有废弃的物。
8
能做到这些，真可说是
得到道的精微高明了。

9
所以善人可以做不善人的老师，
应该向他学习啊！
10
不善人可以做善人的借镜。
不能像他这样啊……
11
如果不善人不尊重善人……
我为何要向他学习？
12
善人不珍视不善之人作为借镜……
这种人最令人瞧不起了！
13
虽然自以为聪明，其实是大迷糊。这个道理真是奥妙啊！
圣人顺任自然以待人接物，以无弃人无弃物的胸怀，对善人和不善人都能一律加以善待。

知其雄，守其雌，为天下溪。为天下溪，常德不离，复归于婴儿。知其白，〔守其黑，为天下式。为天下式，常德不忒，复归于无极。知其荣，〕守其辱，为天下谷。为天下谷，常德乃足，复归于朴。朴散则为器，圣人用之，则为官长。故大制不割。
1
知道雄强的好处，而宁愿处在雌伏柔弱的地位，
雄
雌
2
这样才可作为天下的溪涧，使众流会注。
3
作为天下的溪涧，常德就不会离失，而回复于自然的状态，就如同婴儿一样。

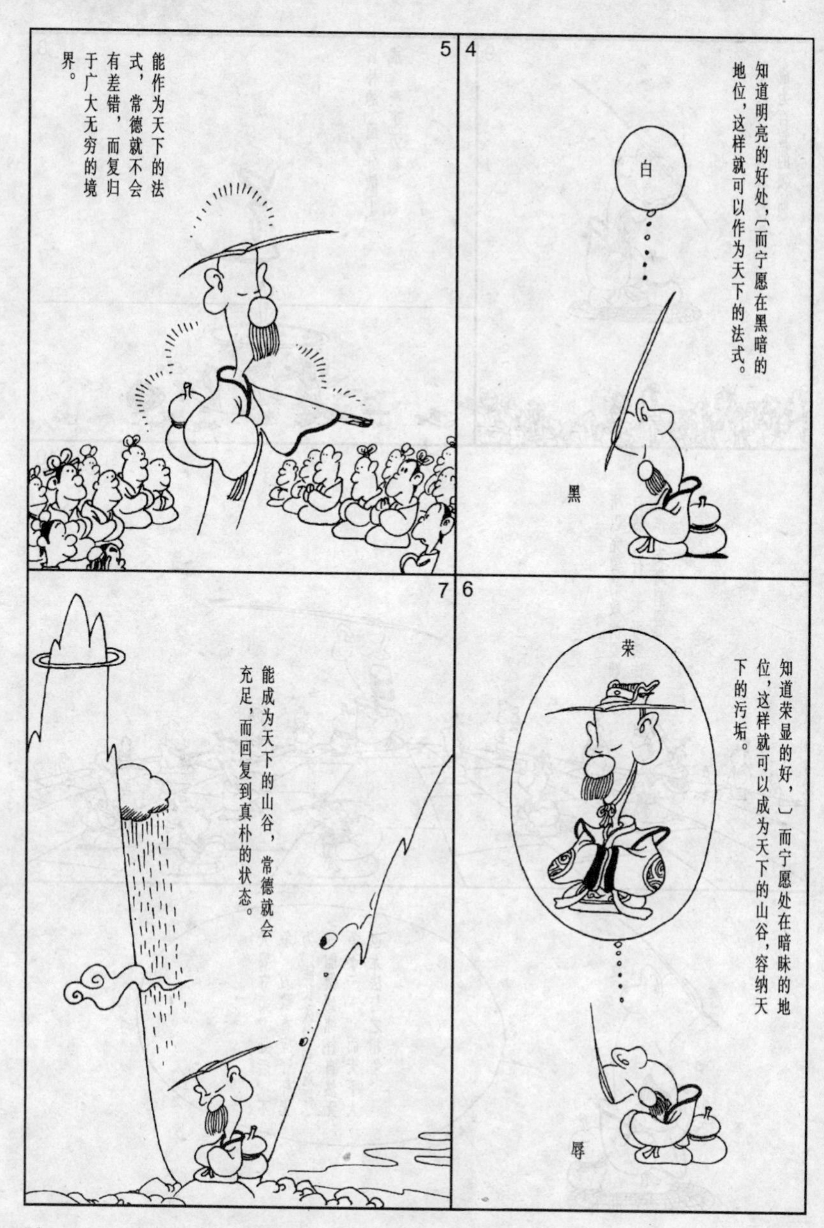
4
知道明亮的好处，〔而宁愿在黑暗的地位，这样就可以作为天下的法式。
白
黑
5
能作为天下的法式，常德就不会有差错，而复归于广大无穷的境界。
6
知道荣显的好，〕而宁愿处在暗昧的地位，这样就可以成为天下的山谷，容纳天下的污垢。
荣
辱
7
能成为天下的山谷，常德就会充足，而回复到真朴的状态。

8
真朴的「道」分散了，
成为天下万物。
道
9
圣人守住真朴，就能
成为百官的领袖。
10
所以完善的政治要顺
自然而行，不可矫饰
造作、支离割裂。
人要守柔、处后、不
争，为政者应守朴无
为，能长久做到这样，
即能做到纯朴自然无
争于天下，而天下人
也无法与之相争。

将欲取天下而为之，吾见其不得已。天下神器，不可为也，不可执也。为者败之，执者失之……夫物或行或随，或歔或吹，或强或羸，或载或隳。是以圣人去甚，去奢，去泰。

1
想要治理天下却用强力去做，我知道那是办不到的。
2
天下是个很神妙的东西，治理它，不能强力而为、不能加以把持。强力而为的人必定败乱天下；
3
加以把持的人，必定失掉天下。

4
人的禀性情状各有不同：
有积极，有消极；有歔暖，
有吹寒；有刚强，有柔弱；
有安定，有危险。
5
因此圣人治理天下，
顺人情，依物势，
6
必自然无为而治，而去除
一切极端的、过分的措施。
世间的物性不同，人性
各别，为政者要能允许
差异性与特殊性的发展，
不可强行！理想的政治
应顺任自然，因势利导，
要舍弃一切过度的措施，
去除一切酷烈的政举。

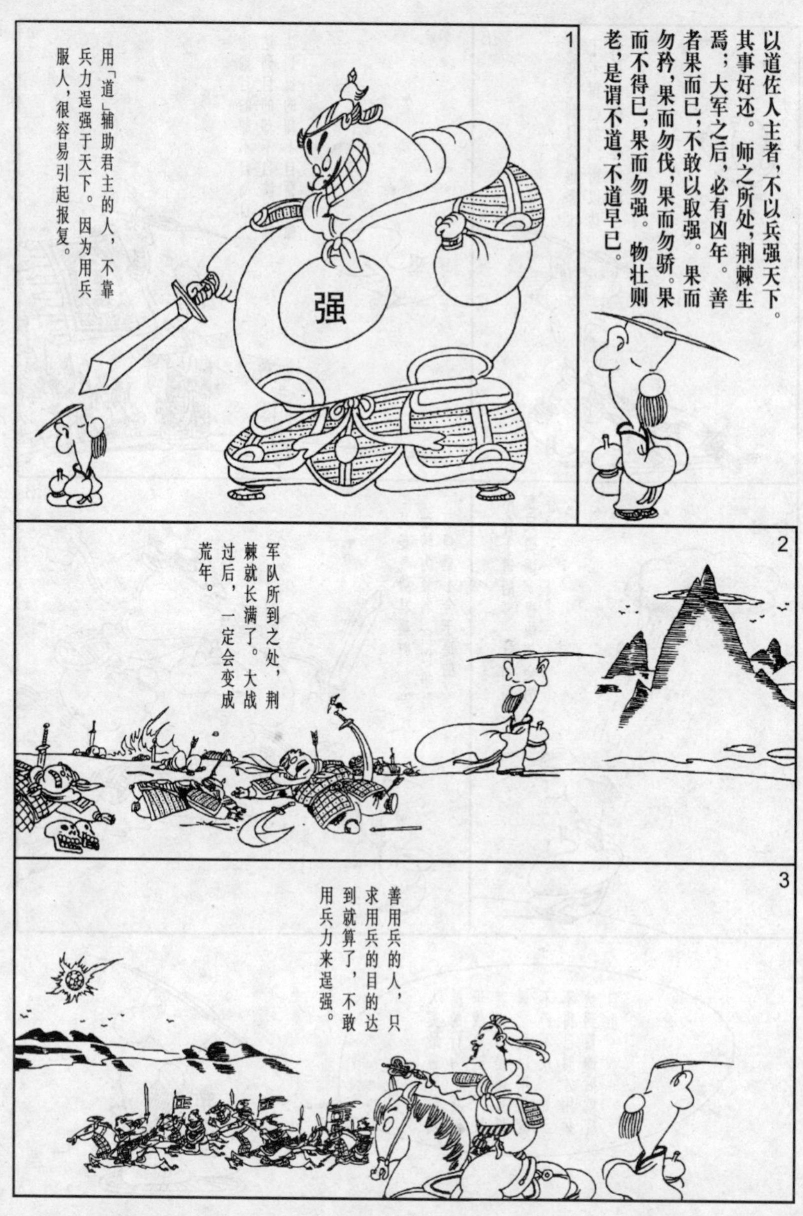
以道佐人主者，不以兵强天下。其事好还。师之所处，荆棘生焉；大军之后，必有凶年。善者果而已，不敢以取强。果而勿矜，果而勿伐，果而勿骄。果而不得已，果而勿强。物壮则老，是谓不道，不道早已。
1
用「道」辅助君主的人，不靠兵力逞强于天下。因为用兵服人，很容易引起报复。
强
2
军队所到之处，荆棘就长满了。大战过后，一定会变成荒年。
3
善用兵的人，只求用兵的目的达到就算了，不敢用兵力来逞强。

4
达到目的却不自高自大。
达到目的却不自吹自擂。
达到目的却不自骄自傲。
5
要知达到目的也是出于不得已的，所以达到目的就不必逞强。
6
凡是气势壮盛时，便开始转为衰弱，所以争胜逞强是不合于道的。
7
不合于道的事，就如同飘风骤雨，很快就会消逝。

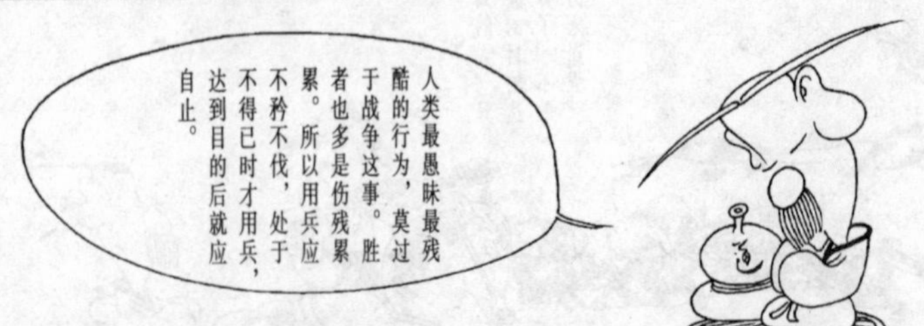
人类最愚昧最残酷的行为，莫过于战争这事。胜者也多是伤残累累。所以用兵应不矜不伐，处于不得已时才用兵，达到目的后就应自止。

夫佳兵者，不祥之器，物或恶之，故有道者不处。君子居则贵左，用兵则贵右。兵者不祥之器，非君子之器，不得已而用之，恬淡为上。胜而不美，而美之者，是乐杀人。夫乐杀人者，则不可得志于天下矣。吉事尚左，凶事尚右。偏将军居左，上将军居右，言以丧礼处之。杀人之众，以悲哀泣之，战胜以丧礼处之。

5
兵器是不祥的东西，不是君子所使用的东西。万不得已而使用它，最好要淡然处之。胜利了也不要得意，如果得意，就是喜欢杀人，就不能在天下得到成功。
杀杀杀杀杀！
6
吉
吉庆的事情以左方为上。
丧
凶丧的事情以右方为上。
7
上将军在右方，用兵作战时候，偏将军在左方，这是把战争当作丧事来看待。
右！
左！
8
杀人多了，要以悲哀的心情来悼念他们，即使打胜了，也要以丧事来处理。
丧
武力带来凶灾祸害，用兵是不得已的事，应该心平气和，只求达到目的就好了。

道常无名朴。虽小，天下莫能臣。侯王若能守之，万物将自宾。天地相合，以降甘露，民莫之令而自均。始制有名。名亦既有，夫亦将知止，知止可以不殆。譬道之在天下，犹川谷之于江海。
1
「道」永远是处于无名而朴实状态的，它虽然隐微，但是天下却没有人能够指使它。
2
侯王如果能抱守住它，万物都将自动归服。
道
3
天地的阴阳二气相合，就降下甘露……
4
人们并不需要指使它、控制它，它就会很均匀。

5
道创造了万物，万物就有了名称。名称有了后，就应该知道适可而止，
名
财
位
6
知道适可而止，才不会产生危险的事。
争名
争利
7
道为天下所依归，就像江海百川的归宗，道也是万物的归趋。
道
道生万物，本诸自然，万物各得其养。治国的人如能效法天道顺应自然，无欲无私，不造不设，万物自然各得其所，而无不服从。

知人者智，自知者明。胜人者有力，自胜者强。知足者富，强行者有志。不失其所者久，死而不亡者寿。
1
能够了解别人优劣的，只能算是聪慧；
2
能够认识自己本心本性的，才可算是清明。
3
能够战胜别人的，可算是有力；
4
能够克服自己的，才算是坚强。
我完了！我戒不了酒！
5
我很满意目前的生活。
能够知足而淡泊财物的，便可算是富有。

6
能够体道而强行不息的，便可算是有志。
道！
7
以道为本而紧守不失的，便可算是长久。
道
8
身虽死亡而精神不朽的，便可算是长寿。
道！
道
道！
道
道
道！
道
道！
道
道
道
每一个人都有私、有欲，要想去私欲必须先自反自省，然后自清自虚。若能做到自知、自胜、知足和强行，那么就可以算是得道了。

大道泛兮，其可左右。万物恃之以生而不辞，功成而不有。衣养万物而不为主，可名于小；万物归焉而不为主，可名为大。以其终不自为大，故能成其大。
1
大道流行泛溢，可左可右，无所不到。万物依赖它生长而不加主宰，成就了万物却不居功。
2
养育了万物，却不主宰它们，可以说它很微小；
3
万物都归附于它而它不自以为主宰，又可以说它很伟大。
4
正因为它不自认为伟大，
5
所以才能够成就它的伟大。
道生长万物，养育万物，使万物各得所需、各适其性，而不加以主宰的精神，是统治者应学习的。

执大象，天下往。往而不害，安平太。乐与饵，过客止。「道」之出口，淡乎其无味；视之不足见，听之不足闻，用之不足既。
1
执守大「道」，天下人都来归往。
2
归往而不互相伤害，于是大家都平和安泰。
3
儒
音乐和美食能使过路人停步，
4
道
但是「道」虽然淡而无味，看不见、听不到，却是使用不完。
仁义礼法之治，像音乐与美食一样，仅能满足人的耳目口腹之欲，道却能使人得到心灵的满足。

将欲歙之，必固张之；将欲弱之，必固强之；将欲废之，必固兴之；将欲取之，必固与之。是谓微明。柔弱胜刚强。鱼不可脱于渊，国之利器不可以示人。
1
要收缩他，必定先使他扩张。要削弱他，必先使他坚强。要废弃他，必先提举他。要套取他，必定先给予他。
2
这是很明显的道理，柔弱一定胜过刚强。
3
鱼不能离开渊，离开渊必定干死。
4
柔弱是治国的根本；治国不用柔弱，必定灭亡。
5
权谋、刑罚，都是凶利的东西，不能够加施于人民。
物极必反，势强必弱是千古不易的道理。人君如果明白这个道理善加运用，则能以柔克刚，以弱胜强了。

道常无为，而无不为。侯王若能守之，万物将自化。化而欲作，吾将镇之以无名之朴。无名之朴，夫亦将无欲。不欲以静，天下将自定。
道永远是顺应自然，好像是无所作为；实际上是无所不为。
侯王如能持守它，万物就会自生自长。
自生自长而至贪欲萌作时，我就用道的真朴来镇服他。
朴
以道的真朴来镇服，万物就没有私欲而能清静，天下自然就会安定。
统治者应顺任自然，让人民自我发展，要养成真朴的民风，社会才能趋于安定。

下篇

德

上「德」不「德」，是以有「德」；下「德」不失「德」，是以无「德」。上「德」无为而无以为；下「德」无为而有以为。上「仁」为之而无以为；上「义」为之而有以为。上「礼」为之而莫之应，则攘臂而扔之。故失「道」而后「德」，失「德」而后「仁」，失「仁」而后「义」，失「义」而后「礼」。

夫「礼」者，忠信之薄，而乱之首。前识者，「道」之华，而愚之始。是以大丈夫处其厚，不居其薄；处其实，不居其华。故去彼取此。

1
上「德」的人不自以为德，所以才是有「德」。
上德！
2
下「德」的人有心施德，所以就没有「德」。
德！
3
上「仁」的人有所作为，却出于无意。
仁！
4
上「义」的人有所作为且出于有意。
义！

5
上「礼」的人有所作为，若得不到回应，
礼！
6
于是就伸出手臂来使人们强从。
无「礼」的家伙！
7
所以失去了「道」，而后才有「德」；失去了「德」，然后才有「仁」；失去了「仁」，而后才有「义」；失去了「义」，而后才有「礼」。
道！
德！
仁！
义！
礼！
8
当社会需要用「礼」维系的时候，虚伪巧诈也就产生了，祸乱就跟着来了。
9
自以为聪明的人，以智取巧，实在是愚昧的根源。
10
因此大夫应守质朴的大道，不要虚伪的巧智。舍弃礼智的浮华，取用道的厚实。
道德修养共分道、德、仁、义、礼、智。合于道的社会，一切需自然而行，当社会须要礼智来维系时，诈伪丛生，已经是不堪设想的时候了。

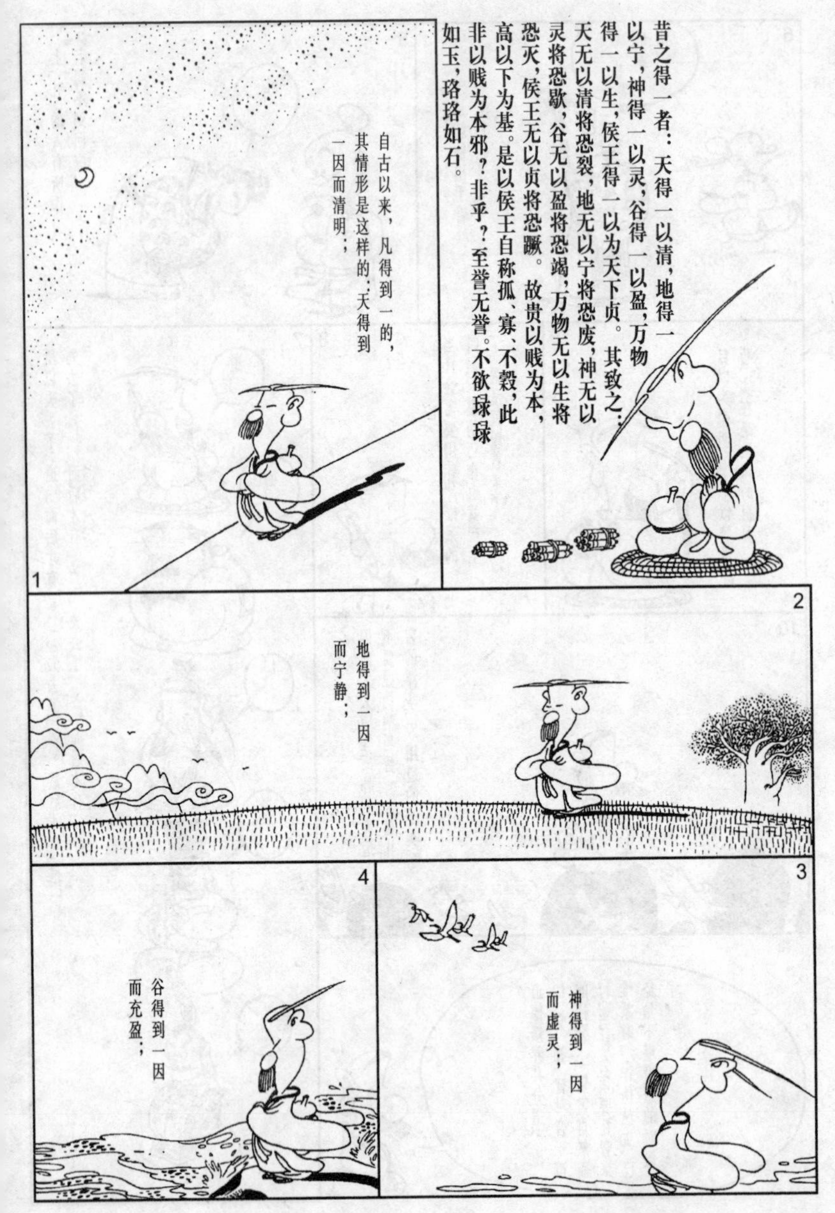
昔之得一者：天得一以清，地得一以宁，神得一以灵，谷得一以盈，万物得一以生，侯王得一以为天下贞。其致之：天无以清将恐裂，地无以宁将恐废，神无以灵将恐歇，谷无以盈将恐竭，万物无以生将恐灭，侯王无以贞将恐蹶。故贵以贱为本，高以下为基。是以侯王自称孤、寡、不穀，此非以贱为本邪？非乎？至誉无誉。不欲琭琭如玉，珞珞如石。
1
自古以来，凡得到一的，其情形是这样的：天得到一因而清明；
2
地得到一因而宁静；
3
神得到一因而虚灵；
4
谷得到一因而充盈；

5
万物得到一因而化生；
6
侯王得到一因而使天下安定。这些都是由于得到一才有的。
7
天不能清明，恐怕就要崩塌；
8
地不能宁静，恐怕就要覆灭；
9
神不能虚灵，恐怕就要消失；

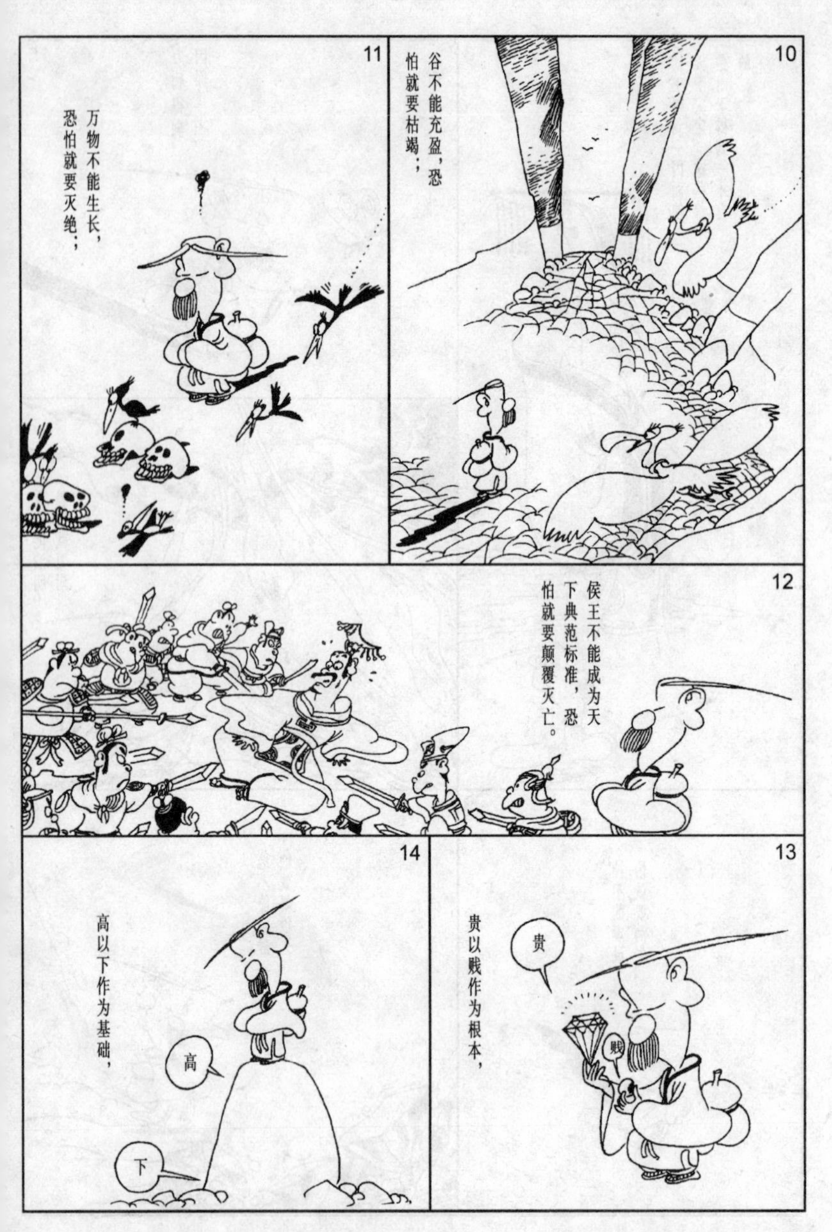
10
谷不能充盈，恐
怕就要枯竭；
11
万物不能生长，
恐怕就要灭绝；
12
侯王不能成为天
下典范标准，恐
怕就要颠覆灭亡。
13
贵以贱作为根本，
贵
贱
14
高以下作为基础，
高
下

15
因此，侯王们自称「孤」、「寡」、「不穀」，以示谦下，这不是贵以贱为根本吗？岂不是吗？
孤
寡
不穀
16
所以世上最好的称誉就是没有称誉，因为有了称誉，毁谤就随之而来了。
17
不要像美玉一样璀璨明亮受人重视；
18
而要像石头一样暗淡无光，为人忽视。
一是道所生，它也可以代表道。天地万物都由于得到了它，才能成其伟大，侯王也是由于得到了它，才能成就其高贵。但任何高贵都扎根奠基于贱下，如果没有贱下做基础，也就没有高贵了。

反者道之动；弱者道之用。
天下万物生于有，有生于无。
1
道的运行反复循环，周流不息，
才能产生绵延不尽的生命。
2
道的作用
柔弱谦下。
3
天下万物是从
「有」而产生的，
有
4
无
而「有」却是从
「无」产生的。
「无」是道之体，「有」是道之
用，人应无为、无事、无智、
无知、无欲、无我、无私，才
能达到「道」的最高境界。

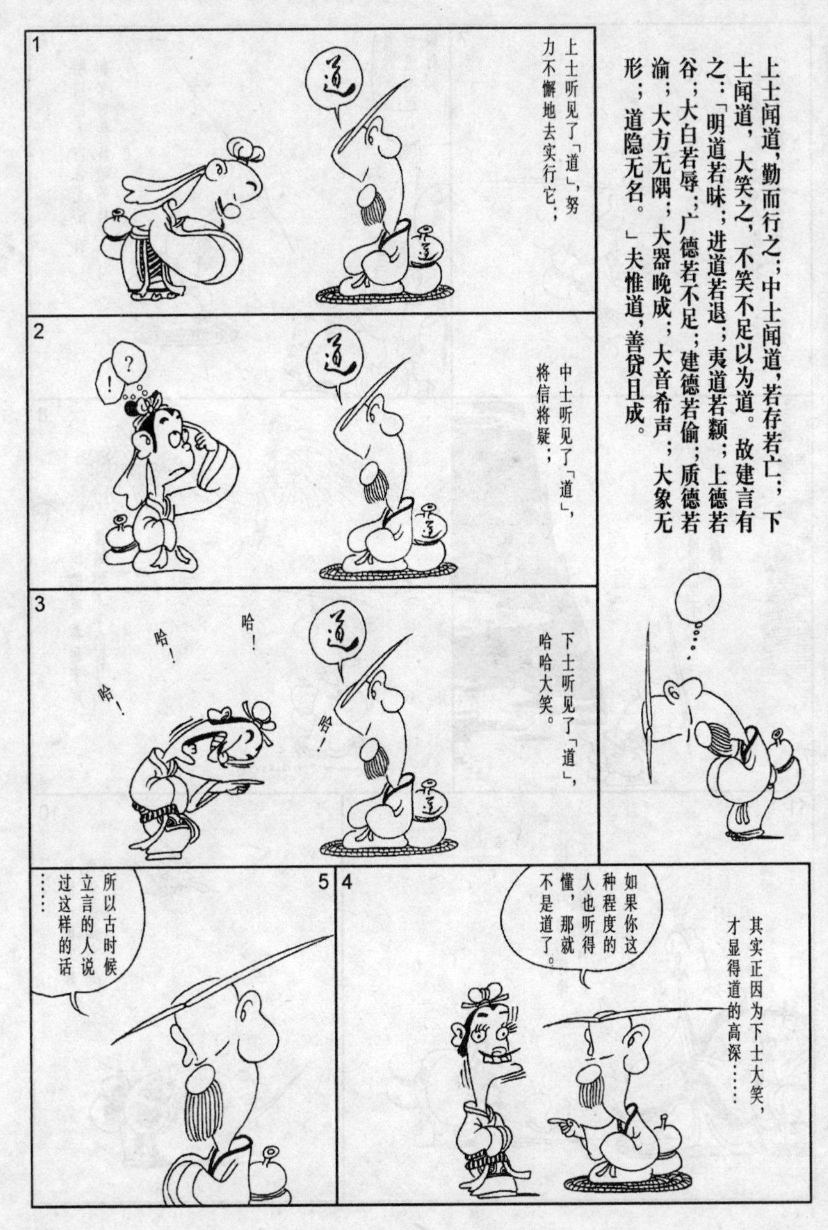

上士闻道，勤而行之；中士闻道，若存若亡；下士闻道，大笑之，不笑不足以为道。故建言有之：「明道若昧；进道若退；夷道若颣；上德若谷；大白若辱；广德若不足；建德若偷；质德若渝；大方无隅；大器晚成；大音希声；大象无形；道隐无名。」夫惟道，善贷且成。
1
上士听见了「道」，努力不懈地去实行它；
道
2
中士听见了「道」，将信将疑；
道
?
!
3
下士听见了「道」，哈哈大笑。
道
哈！
哈！
哈！
4
其实正因为下士大笑，才显得道的高深……
如果你这种程度的人也听得懂，那就不是道了。
5
所以古时候立言的人说过这样的话……

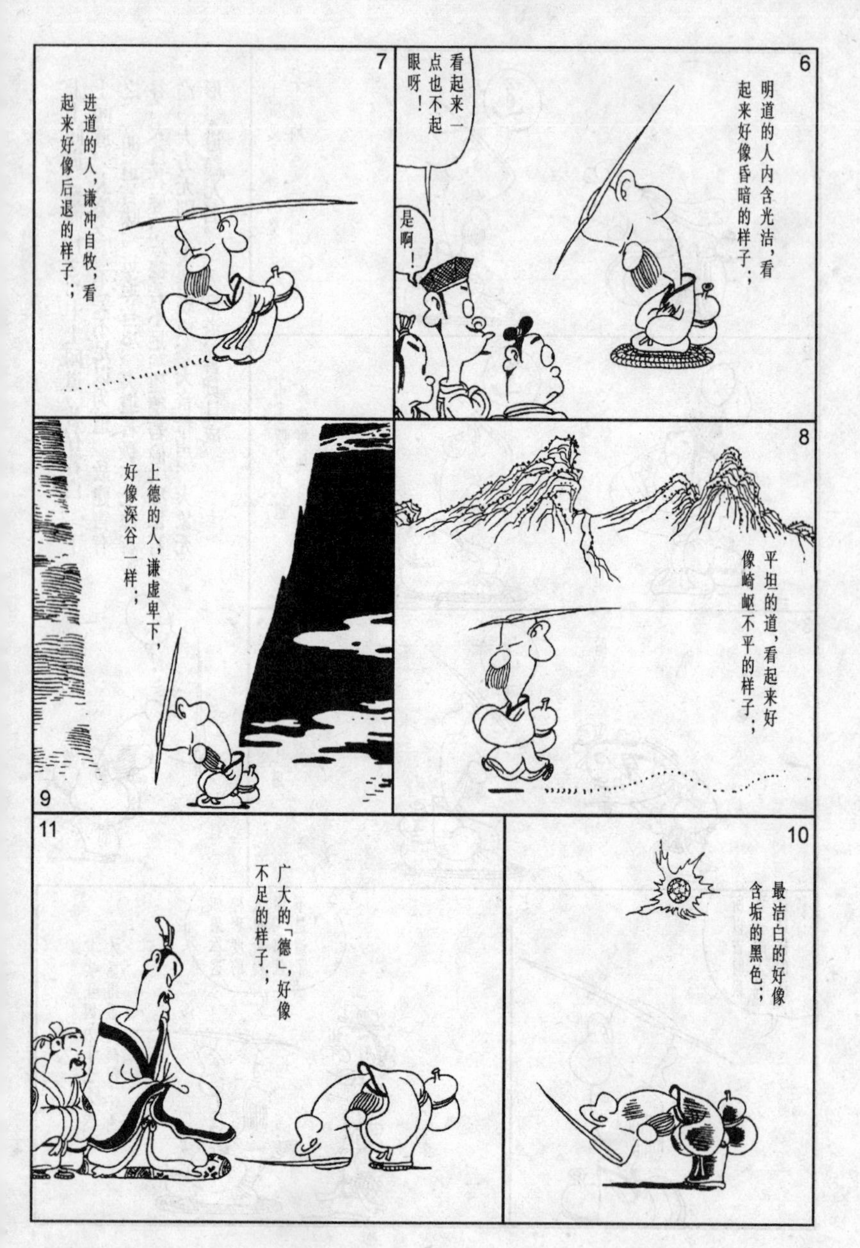
6
明道的人内含光洁，看起来好像昏暗的样子；
看起来一点也不起眼呀！
是啊！
7
进道的人，谦冲自牧，看起来好像后退的样子；
8
平坦的道，看起来好像崎岖不平的样子；
9
上德的人，谦虚卑下，好像深谷一样；
10
最洁白的好像含垢的黑色；
11
广大的「德」，好像不足的样子；

12
刚健的「德」
好像怠惰的
样子；
13
质实的「德」
好像空虚的
样子；
14
最大的方正
没有边角；
15
最大的容器没有形状；

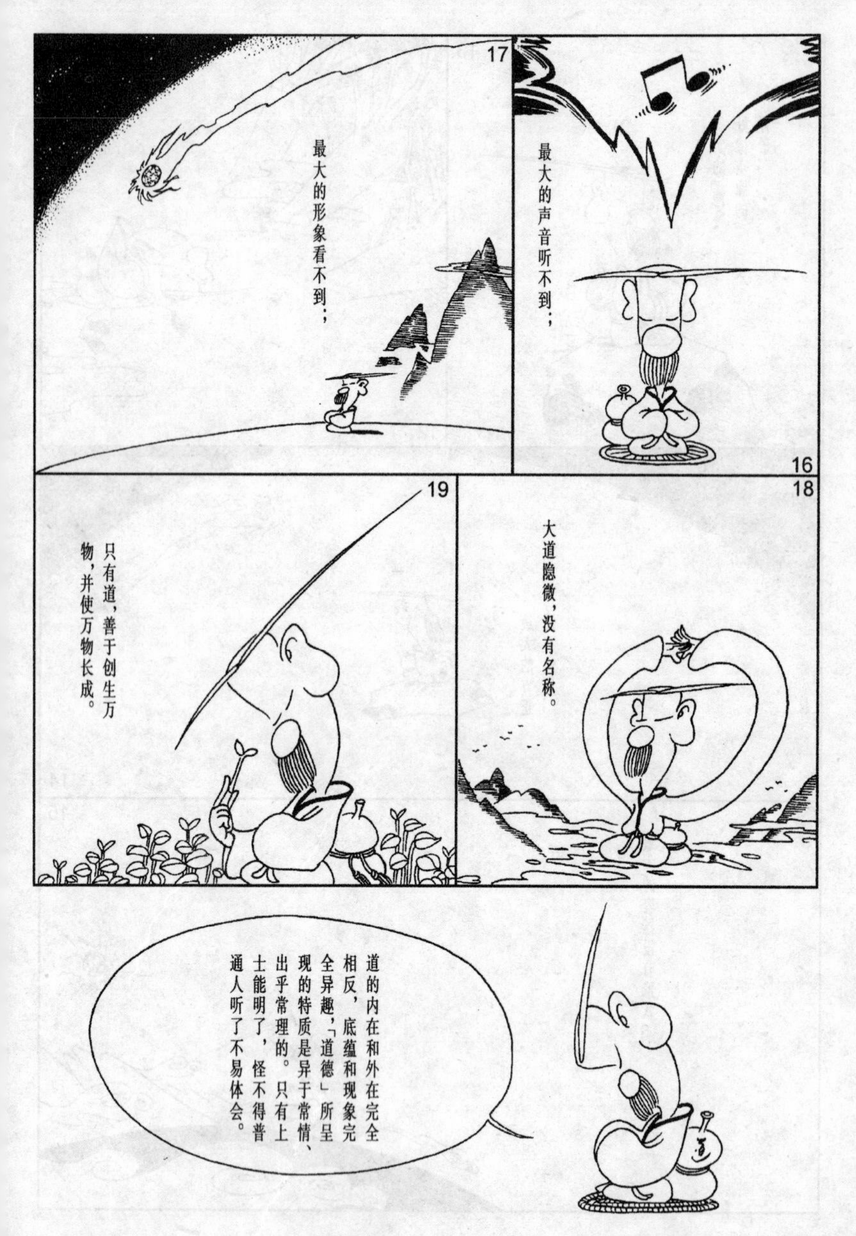
16
最大的声音听不到；
17
最大的形象看不到；
18
大道隐微，没有名称。
19
只有道，善于创生万物，并使万物长成。
道的内在和外在完全相反，底蕴和现象完全异趣，「道德」所呈现的特质是异于常情、出乎常理的。只有上士能明了，怪不得普通人听了不易体会。

「道」生一，一生二，二生三，三生万物。万物负阴而抱阳，冲气以为和。
1
道是万物创生的总原理，万物创生的程序是由道生出一种气。
道
2
这种气又化分成为阴阳两气。
3
阴阳两气相交，而成一种适匀的状态……
4
于是万物都在这种状态中产生了。
5
万物都背阴而向阳，阴阳两气互相激荡，而成新的和谐体。
「道」创生了万物，万物创生以后，还要守住道的精神，依道而行。应该柔弱，应该顺应自然。

天下之至柔，驰骋天下之至坚。无有入无间，吾是以知「无为」之有益。「不言」之教，「无为」之益，天下希及之。人之所教，我亦教之，吾将以为教父。
1
天下最柔软的东西，能驾御天下最坚硬的东西。
2
无形的力量能穿透没有间隙的东西。
3
我因此知道「无为」的益处。
4
「不言」的教导，「无为」的益处，天下少有比得上的。
水是最柔不过的，却能穿山透地。柔能胜刚是很明显的道理啊！

名与身孰亲？身与货孰多？得与亡孰病？是故甚爱必大费；多藏必厚亡。知足不辱，知止不殆，可以长久。
1
声名
生命
名和生命比起来哪一样亲切？
2
生命和货利比起来哪一样贵重？
货利
生命
3
得到名利和丧失生命哪一样为害？
名利
4
名人
奖
赏
冠军
因此过分的爱名，就必定要付重大的耗费。
5
藏财货太多，就必定会招致惨重的损失。
6
知道满足就不会受到屈辱，知道适可而止就不会带来危险。
人应爱惜身体、生命，不应过分追求名利，得到名利而失去生命，是得不偿失的。

1
大成若缺，其用不弊。大盈若冲，其用不穷。大直若屈，大巧若拙，大辩若讷。静胜躁，寒胜热。清静为天下正。
最完满的东西像有欠缺的样子，但是它的作用永不停止。
2
最充盈的东西好像是空虚的样子，但是它的作用永不穷竭。
3
最正直的东西好像是弯曲的样子，

最灵巧的东西好像是笨拙的样子。
最卓越的辩才好像是口讷的样子。
清静克服扰动，寒冷克服暑热。
清静无为可以做天下人的模范。

一个完美的人格，不在于外形上的表露，而为内在生命的含藏内敛。道体清虚寂静，但其作用却能胜躁制动，若能善体清静，无为无事，顺应自然，就可以作为天下人的表率。

天下有道，却走马以粪。
天下无道，戎马生于郊。
祸莫大于不知足；咎莫大于欲得。故知足之足，常足矣。
天下有道的时候，人人知足知止，国与国之间和平相处。
1
战争绝迹了，战马也没有用了，只好用来耕田。
2
天下无道的时候，人人逐利争名。
3
国与国之间战争不断，所有的马都用来作战，母马都得在战场上生产。
4

5
我国的国土太小了，邻国好大啊……
6
够大了，不要贪欲无厌了……
不不，太小了！
7
出兵攻打邻国，夺取国土！
天下的灾祸，没有比不知足更大的了；天下的罪过，没有比贪欲更大的了。
8
所以只有知足的这种满足，才是永久的满足。人人知足，天下就太平了。

不出户，知天下；不窥牖，见天「道」。其出弥远，其知弥少。是以「圣人」不行而知，不见而明，不为而成。
1
万事万物的原理，并不在远不可及的地方，它就在我们的心中。
道
2
若能内观反省，除私去欲，不出门外就能知天下的事理，不望窗外就可明了自然的法则。
3
走出大门愈远，知道的事理也就愈少。
4
所以圣人不外出远求，天下的事理就可以明了。
5
不造作施为，万物就可以化育生成。
心灵深处是透明的，像一面镜子，应净化欲念，清除心灵的蔽障，去了解外物。

为学日益，为「道」日损。损之又损，以至于「无为」。「无为」而无不为。取天下常以无事，及其有事，不足以取天下。
1
求「学」一天比一天增加，
我的知识见闻增加了不少。
2
求「道」却一天比一天减少，减少又减少，一直到无为的境地。
情欲减少了！
3
如能不妄为，那就没有什么事情做不成的了。
4
第一点规定……
第二点规定……
第三点规定……
第四点规定……
治理国家要常清静、不扰攘，至于政举繁苛，就不配治理国家了。
「为学」，只能增知添欲，因此虚伪百出、忧烦丛生。「求道」，损知去欲，内心既清既虚，外在自然无为无事了。

「圣人」无常心，以百姓心为心。善者吾善之，不善者吾亦善之，德善。信者吾信之，不信者吾亦信之，德信。「圣人」在天下，歙歙焉，为天下浑其心，百姓皆注其耳目，「圣人」皆孩之。
1
「圣人」没有成见，以百姓的意见为意见。
2
善良的人，我善待他；不善良的人我也善待他。这样可使人人向善。
善！
3
守信的人我善待他；不守信的人，我也善待他。这样可使人人守信向善。
信！
4
「圣人」在位，收敛自己的意欲，使人心思化归于浑朴，百姓都凝视静听，如痴如愚，圣人都把他们当作婴儿一样的爱护。
理想的治者，收敛自我的意欲，不以主观厘定是非好恶的标准，应以善心诚心去对待所有的老百姓。

出生入死。生之徒，十有三；死之徒，十有三；人之生，动之于死地，亦十有三。夫何故？以其生生之厚。盖闻善摄生者，陆行不遇兕虎，入军不被甲兵；兕无所投其角，虎无所用其爪，兵无所容其刃。夫何故？以其无死地。

1
人出生后，能够长寿的，有十分之三。
短命夭折的有十分之三。
本来可以长寿，而自己跳入死路的，也有十分之三。
2
这是什么原因呢？
3
因为奉养太厚、享受太过了。

曾听说过，善于
养护生命的人，
在深山里行走
不会遇到犀牛、
老虎的攻击。
在军队中打
仗，也不会
遭到兵刃的
杀伤。
犀牛虽凶，但对他却
没有办法用它的角；
老虎虽猛，但对他却
没有办法用它的爪。

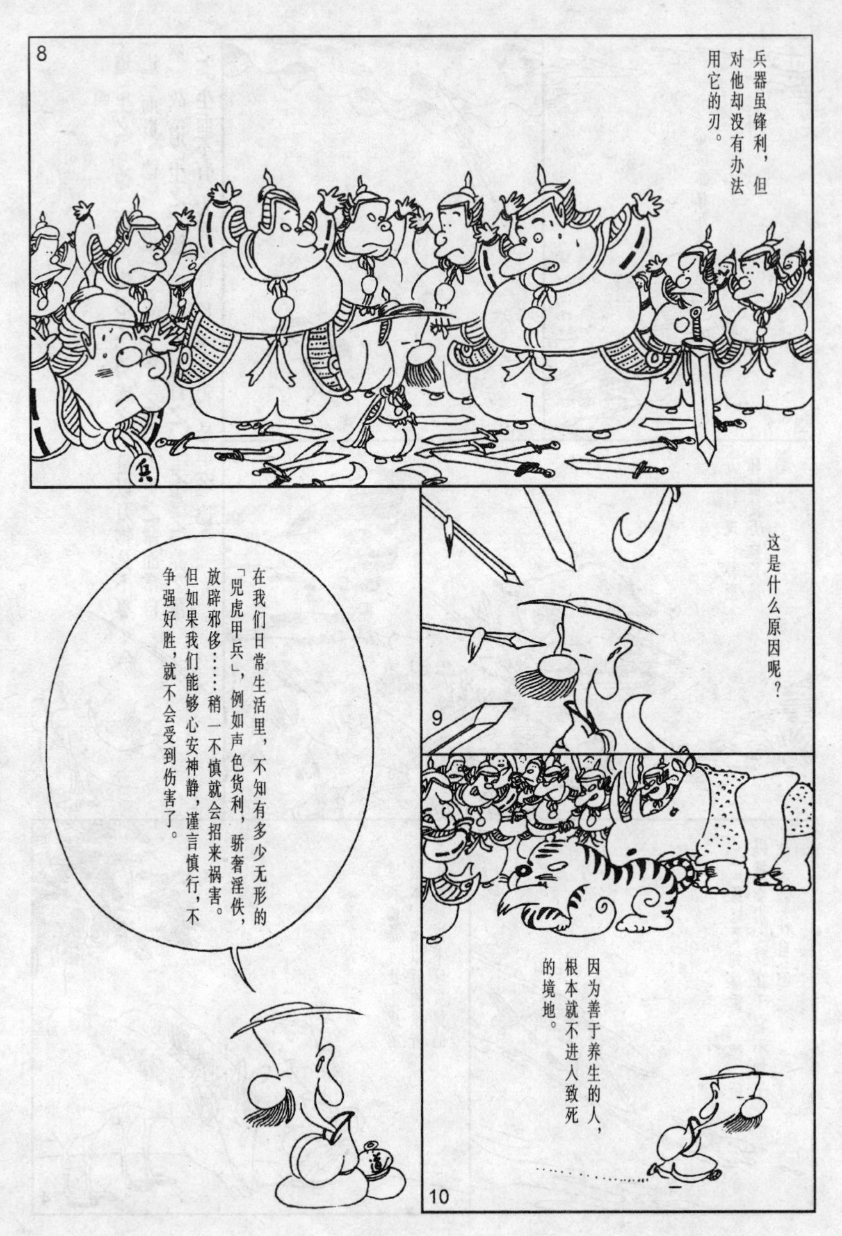
8
兵器虽锋利，但对他却没有办法用它的刃。
9
这是什么原因呢？
10
因为善于养生的人，根本就不进入致死的境地。
在我们日常生活里，不知有多少无形的「兕虎甲兵」，例如声色货利，骄奢淫佚，放辟邪侈……稍一不慎就会招来祸害。但如果我们能够心安神静，谨言慎行，不争强好胜，就不会受到伤害了。
兵
道

「道」生之，「德」畜之，物形之，势成之。是以万物莫不尊「道」而贵「德」。「道」之尊，「德」之贵，夫莫之命而常自然。故「道」生之，「德」畜之，长之育之，亭之毒之，养之覆之。生而不有，为而不恃，长而不宰。是谓玄「德」。
1
「道」创生万物，
2
「德」养育万物，
3
万物呈现各种形态，环境使万物长成。
4
道和德是万物生成的根本，所以万物没有不尊敬道不珍贵德的。
5
「道」所以受到尊重，「德」所以被珍贵，就在于它不加干涉，而顺任自然。

6
所以「道」创生万物，「德」畜养万物，使万物成长作育，使万物成熟结果，使万物爱养调护。
7
创生万物却不据为己有，兴作万物却不自恃己能，长养万物却不为主宰。
8
这就是最深的「德」。
「道德」创造万物，都是本之于自然，它不支配万物，不干涉万物，而听任万物自然生长，这种无私无欲就是道德的伟大之处，所以能得万物的尊敬。
道

天下有始，以为天下母。既得其母，以知其子；既知其子，复守其母，没身不殆。塞其兑，闭其门，终身不勤。开其兑，济其事，终身不救。见小曰「明」，守柔曰「强」。用其光，复其明，无遗身殃，是为习「常」。
天地万物都有个本始，作为天地万物的根源。
道
1
如果得知根源，就能认识由这母体所创生出来的子——天下万物。
道
2
如果认识万物，又能紧守住天地万物之母的道，终身都不会有危险。
3
堵塞情欲的孔道，关闭情欲的大门，使情欲无从产生，就终身都没有劳扰的事。
耳
意
身
眼
鼻
舌
4

5
打开情欲的孔窍，增添纷杂的事件，则终身都不可救治了。
6
能察见细微的叫做「明」。
7
能持守柔弱的叫做「强」。
8
能运用智慧的光，返照内在的「明」。
9
不给自己带来灾殃；这叫做永续不绝的常「道」。
道
人要从万象中去追索根源，去把握原则，要去除私欲，才能以明澈的智慧之光，览照外物，才能真正地看清本相，明察事理。

使我介然有知，行于大道，惟施是畏。大道甚夷，而人好径。朝甚除，田甚芜，仓甚虚；服文彩，带利剑，厌饮食，财货有余；是谓盗夸。非道也哉！
1
假使我稍微有些认识，在大道上行走，就会小心警惕，
2
惟恐走入了邪路。
3
大道很平坦，但是人君却喜欢走小径、行邪路。
4
而弄得朝廷非常混乱；
喝！
说！
5
田地非常的荒芜；

6
仓库非常的空虚。
民间闹饥荒了。
7
而他们自己却穿着锦绣的衣服，佩着锐利的刀剑。
8
吃着丰盛的酒食，搜刮来的钱财货物怎么用也用不完。
9
这种人简直是强盗头子，他们的行为实在不合乎于道啊！
为政者，应该无私无欲，表现无为，这才合乎大道。若只为自己之利，搜刮财货，这与大盗有什么不同？

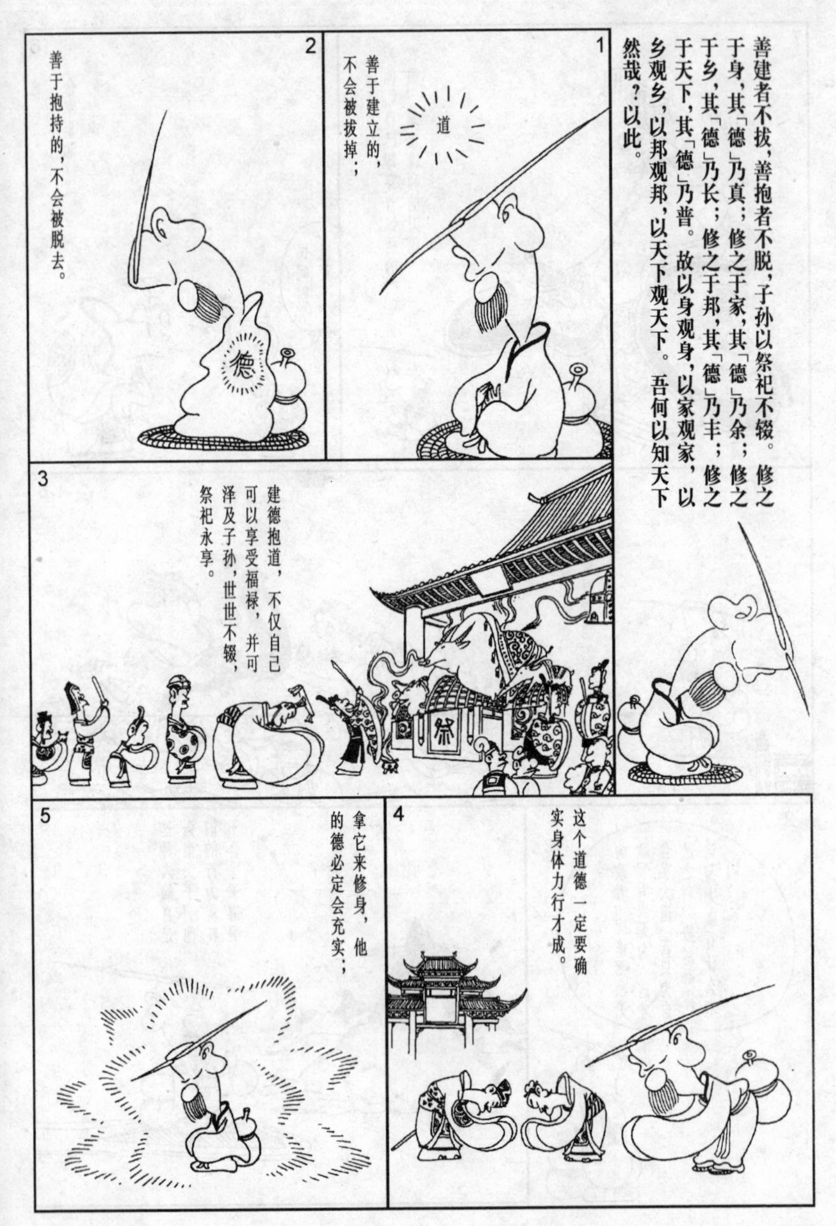
善建者不拔，善抱者不脱，子孙以祭祀不辍。修之于身，其「德」乃真；修之于家，其「德」乃余；修之于乡，其「德」乃长；修之于邦，其「德」乃丰；修之于天下，其「德」乃普。故以身观身，以家观家，以乡观乡，以邦观邦，以天下观天下。吾何以知天下然哉？以此。
1
道
善于建立的，不会被拔掉；
2
德
善于抱持的，不会被脱去。
3
建德抱道，不仅自己可以享受福禄，并可泽及子孙，世世不辍，祭祀永享。
祭
4
这个道德一定要确实身体力行才成。
5
拿它来修身，他的德必定会充实；

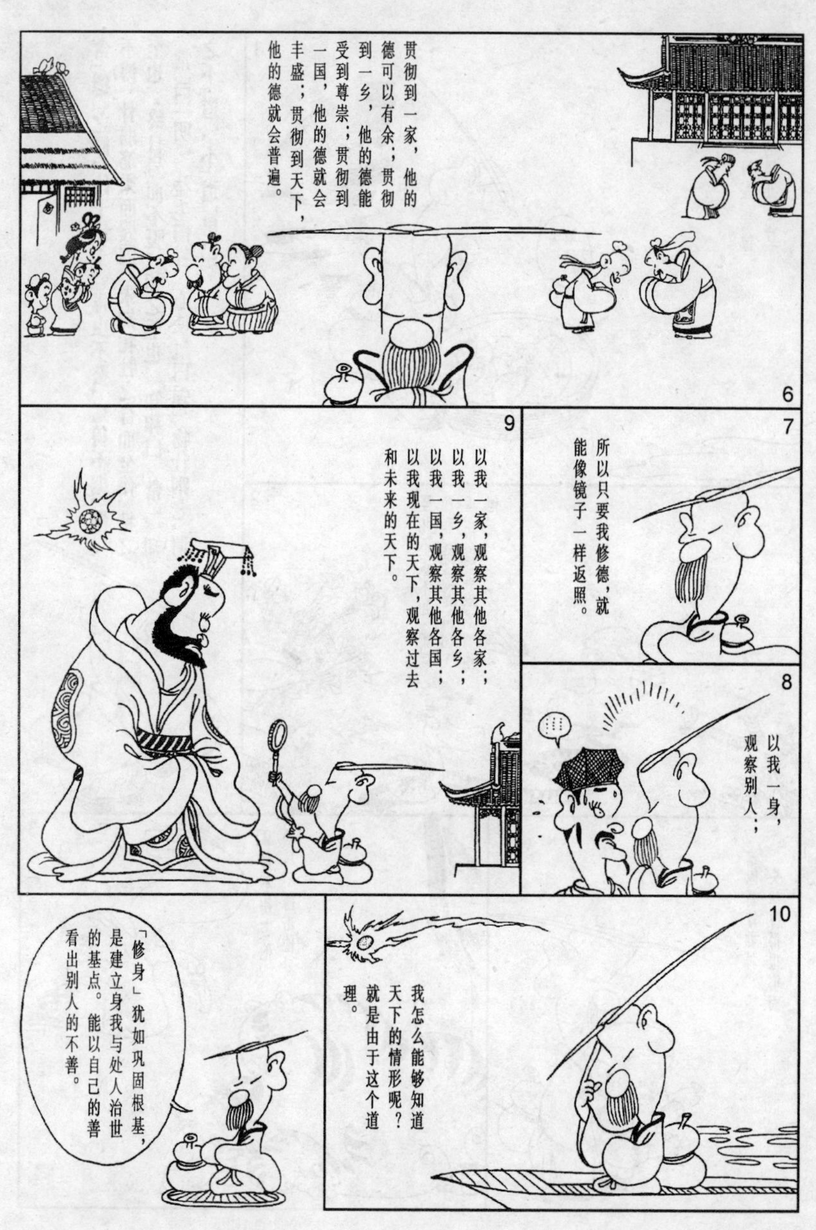
贯彻到一家，他的德可以有余；贯彻到一乡，他的德能受到尊崇；贯彻到一国，他的德就会丰盛；贯彻到天下，他的德就会普遍。
6
7
所以只要我修德，就能像镜子一样返照。
8
以我一身，观察别人；
9
以我一家，观察其他各家；以我一乡，观察其他各乡；以我一国，观察其他各国；以我现在的天下，观察过去和未来的天下。
10
我怎么能够知道天下的情形呢？就是由于这个道理。
「修身」犹如巩固根基，是建立身我与处人治世的基点。能以自己的善看出别人的不善。

含「德」之厚，比于赤子。毒虫不螫，猛兽不据，攫鸟不搏。骨弱筋柔而握固。未知牝牡之合而全作，精之至也。终日号而不嗄，和之至也。知和曰「常」，知「常」曰「明」。益生曰祥。心使气曰强。物壮则老，谓之不「道」，不「道」早已。
1
含「德」深厚的人，就像天真无邪的婴儿一样。
嘻嘻
2
婴儿不识不知，柔弱冲和，纯然是一团天理，所以毒虫不刺伤他，
3
猛兽不伤害他，凶鸟不搏击他。
4
他筋骨柔弱，拳头却握得很牢固。

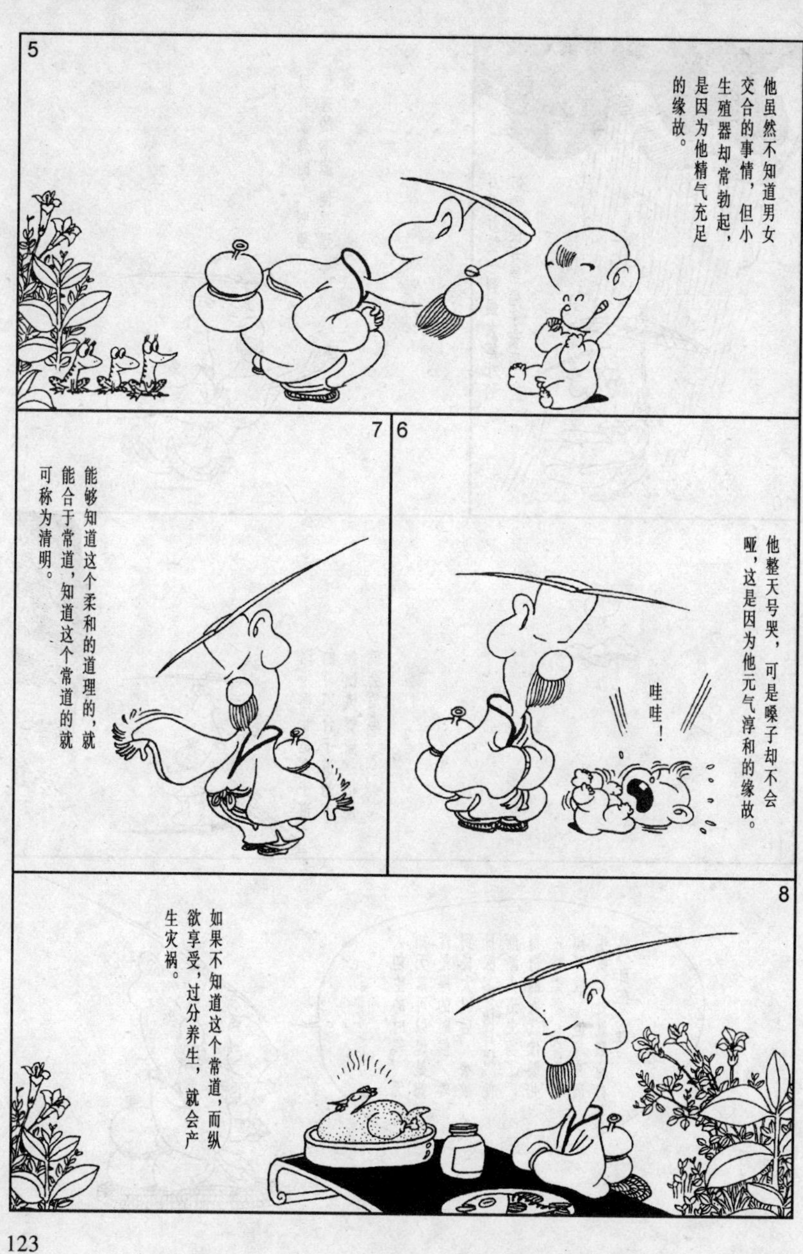
5
他虽然不知道男女交合的事情，但小生殖器却常勃起，是因为他精气充足的缘故。
6
他整天号哭，可是嗓子却不会哑，这是因为他元气淳和的缘故。
哇哇！
7
能够知道这个柔和的道理的，就能合于常道，知道这个常道的就可称为清明。
8
如果不知道这个常道，而纵欲享受，过分养生，就会产生灾祸。

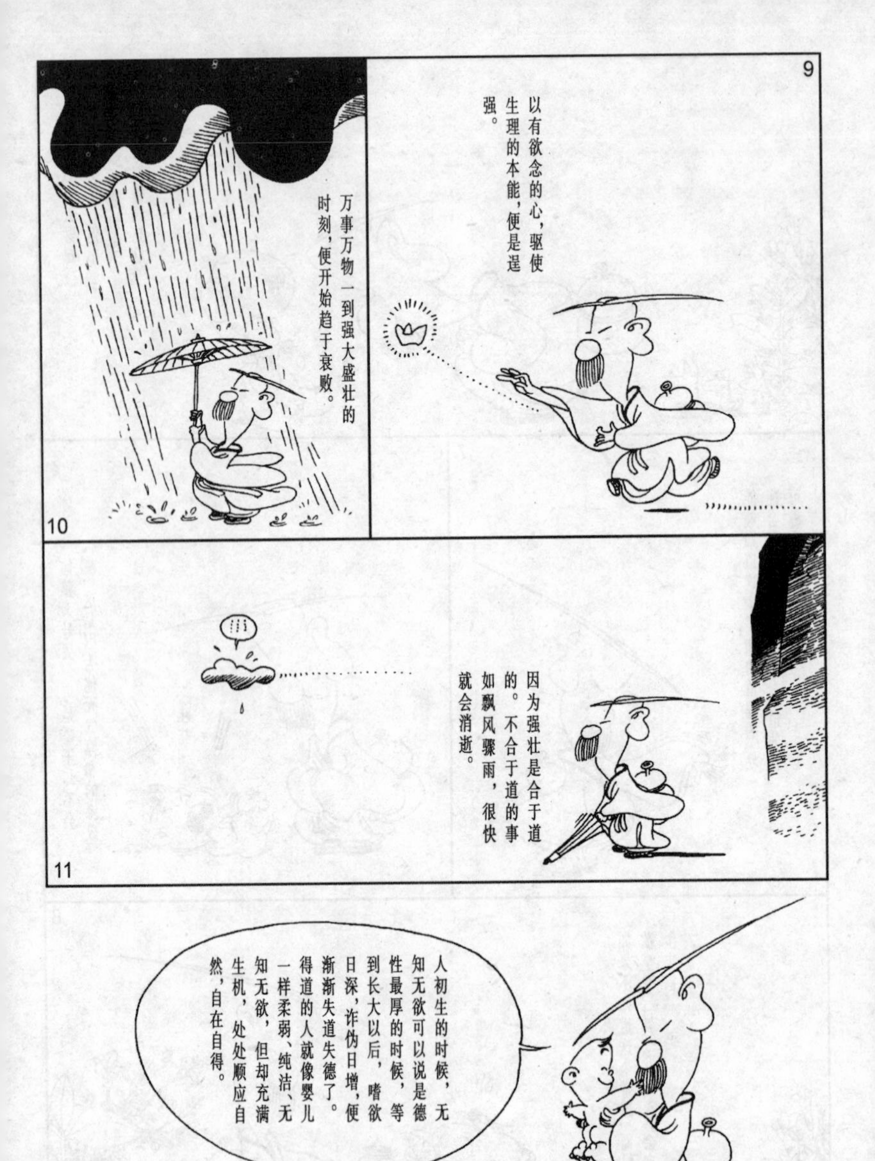

以有欲念的心，驱使生理的本能，便是逞强。
万事万物一到强大盛壮的时刻，便开始趋于衰败。
因为强壮是合于道的。不合于道的事如飘风骤雨，很快就会消逝。
人初生的时候，无知无欲可以说是德性最厚的时候，等到长大以后，嗜欲日深，诈伪日增，便渐渐失道失德了。得道的人就像婴儿一样柔弱、纯洁、无知无欲，但却充满生机，处处顺应自然，自在自得。

知者不言，言者不知。挫其锐，解其纷，和其光，同其尘，是谓「玄同」。故不可得而亲，不可得而疏；不可得而利，不可得而害；不可得而贵，不可得而贱。故为天下贵。
1
智者晓得道体精微奥妙，
所以勤而行之，不敢多言。
2
成天喋喋不休的人，
根本不晓得「道」。
3
不露锋芒，消解纷扰；
含敛光耀，混同尘世；
这就是玄妙齐同的境界。
4
完全超然物外，淡泊无欲，
既无法和他亲近，
也无法和他疏远；
既无法使他得利，
也无法使他受害；
既无法使他高贵，
也无法使他低贱。
修养到达这种境界，
才是天下最了不起的人。
理想的人格形态是「挫锐」「解纷」「和光」
「同尘」，而到达「玄同」的最高境界。

以正治国，以奇用兵，以无事取天下。吾何以知其然哉？以此：天下多忌讳，而民弥贫；朝多利器，国家滋昏；人多伎巧，奇物滋起；法令滋彰，盗贼多有。故圣人云：「我『无为』，而民自化；我好静，而民自正；我无事，而民自富；我无欲，而民自朴。」

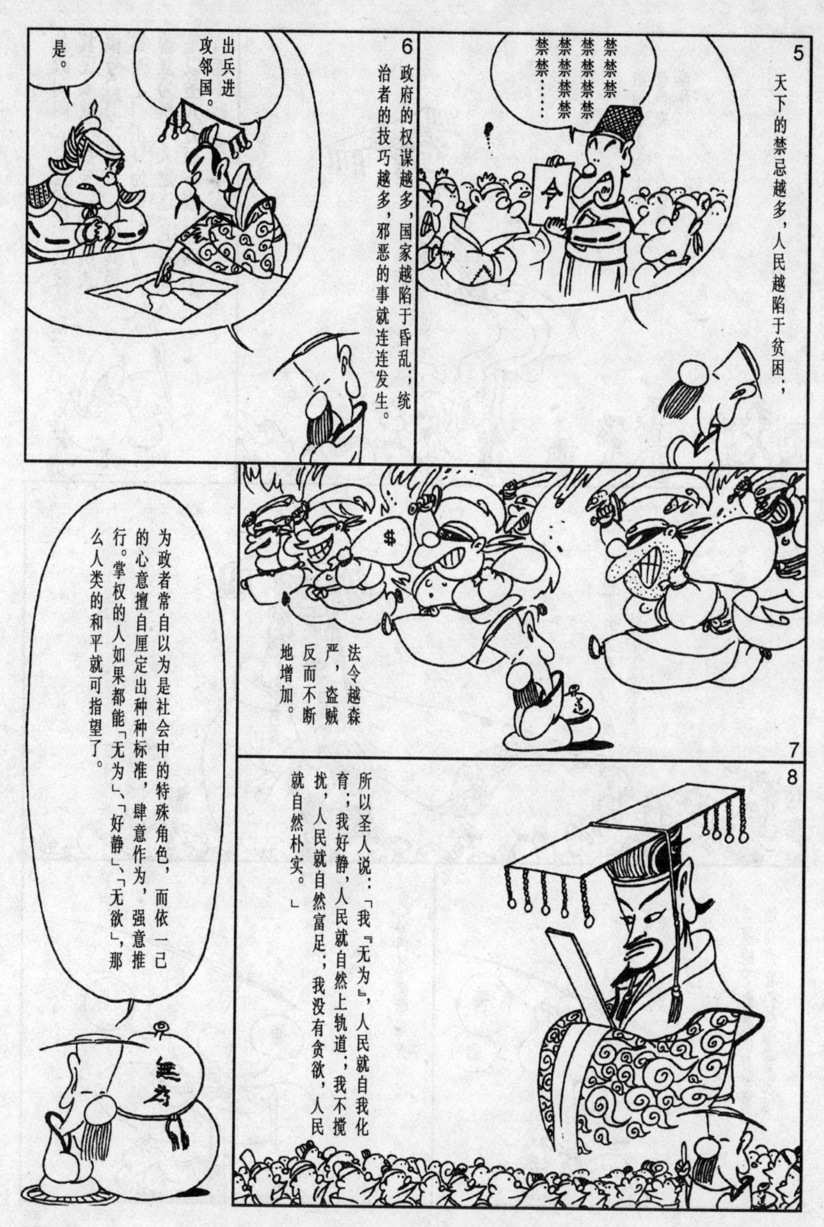
5
天下的禁忌越多，人民越陷于贫困；
禁禁禁禁禁禁禁禁禁禁禁禁禁禁……
令
6
政府的权谋越多，国家越陷于昏乱；统治者的技巧越多，邪恶的事就连连发生。
出兵进攻邻国。
是。
7
法令越森严，盗贼反而不断地增加。
8
所以圣人说：「我『无为』，人民就自我化育；我好静，人民就自然上轨道；我不搅扰，人民就自然富足；我没有贪欲，人民就自然朴实。」
为政者常自以为是社会中的特殊角色，而依一己的心意擅自厘定出种种标准，肆意作为，强意推行。掌权的人如果都能「无为」、「好静」、「无欲」，那么人类的和平就可指望了。

其政闷闷，其民淳淳；其政察察，其民缺缺。祸兮，福之所倚；福兮，祸之所伏。孰知其极？其无正！正复为奇，善复为妖。人之迷，其日固久。是以圣人方而不割，廉而不刿，直而不肆，光而不耀。
1
治国者无为无事，政治宽厚，人民就淳朴；
2
治国者有为有事，政治严苛，人民就狡黠。
3
灾祸的里面隐藏着幸福；
祸
福
4
幸福的下面潜伏着灾祸，谁知道它们的究竟呢？
福
祸

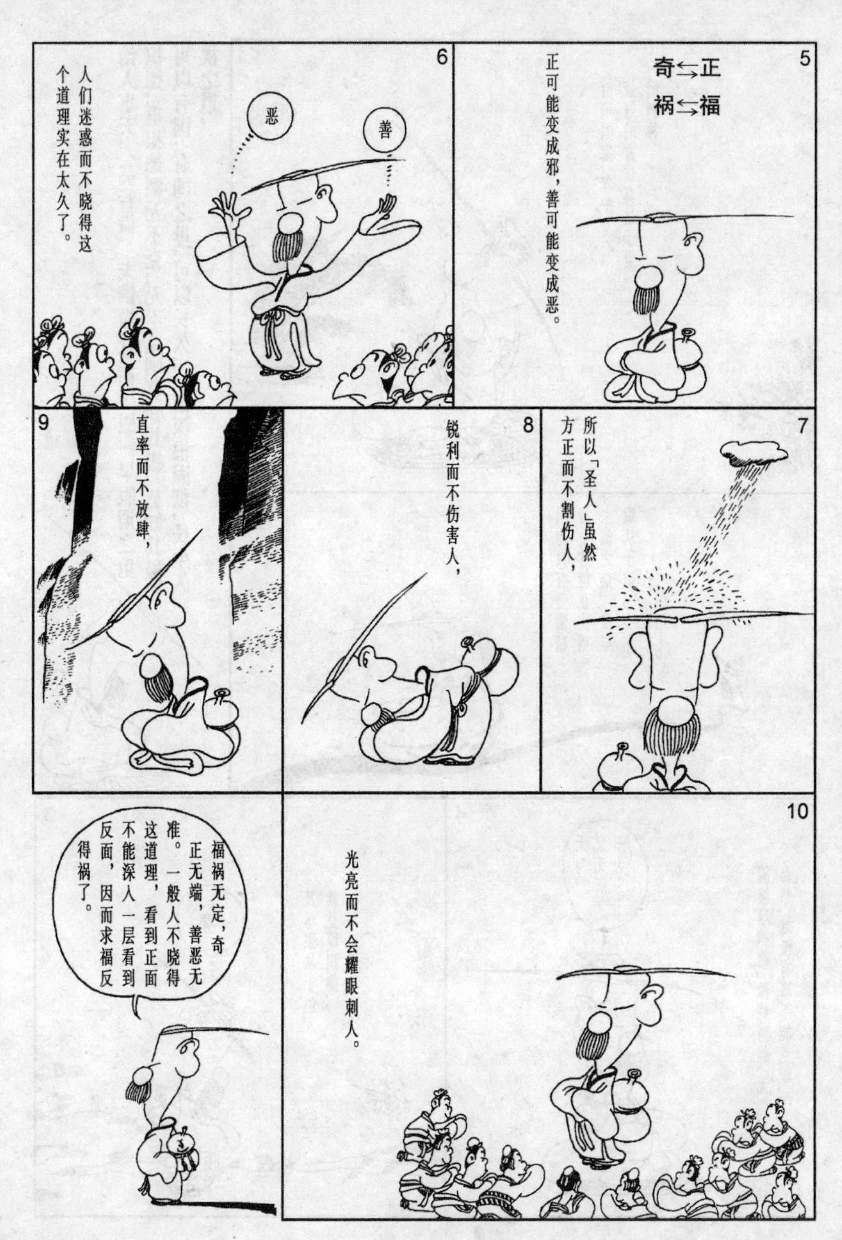

5
奇⇆正
祸⇆福
正可能变成邪，善可能变成恶。
6
人们迷惑而不晓得这个道理实在太久了。
恶
善
7
所以「圣人」虽然方正而不割伤人，
8
锐利而不伤害人，
9
直率而不放肆，
10
光亮而不会耀眼刺人。
福祸无定，奇正无端，善恶无准。一般人不晓得这道理，看到正面不能深入一层看到反面，因而求福反得祸了。

治人事天，莫若啬。夫惟啬，是谓早服；早服谓之重积德；重积德则无不克；无不克则莫知其极；莫知其极，可以有国；有国之母，可以长久；是谓深根固柢，长生久视之道。
1
治理国家，养护身心，最好的方法莫过于爱惜精神。
2
因为只有爱惜精神，才能在灾祸来临之前，及早服从于道；
道
3
德……
及早服从于道，就是厚积德；
4
无为，又无所不为……
能够厚积德，做到清静、无为、自然，就没有事不能克服；

5
事事都能克服，没有什么不能胜任，就无法估计他的力量；
6
无法估计他的力量，就可以担负保护国家的责任；
無為而治
7
掌握治理国家的道理，就可以维持长久，这就是根深柢固、长久存在的道理。
俭啬，才能修养天机，蓄积精神，培蓄能量、充实内在生命，而达到纯真质朴的境界。
道

大国者下流，天下之交。天下之牝——牝常以静胜牡——以静为下。故大国以下小国，则取小国；小国以下大国，则取大国。故或下以取，或下而取。大国不过欲兼畜人，小国不过欲入事人。夫两者各得所欲，大者宜为下。
大国要像江海一样，居于下流，为天下所归会。
自居于天下雌柔的位置，雌柔常常以静定而胜于雄强，因为静定而又能处下的缘故。
所以大国对小国谦下，就可以会聚小国；小国对大国谦下，就可以见容于大国。

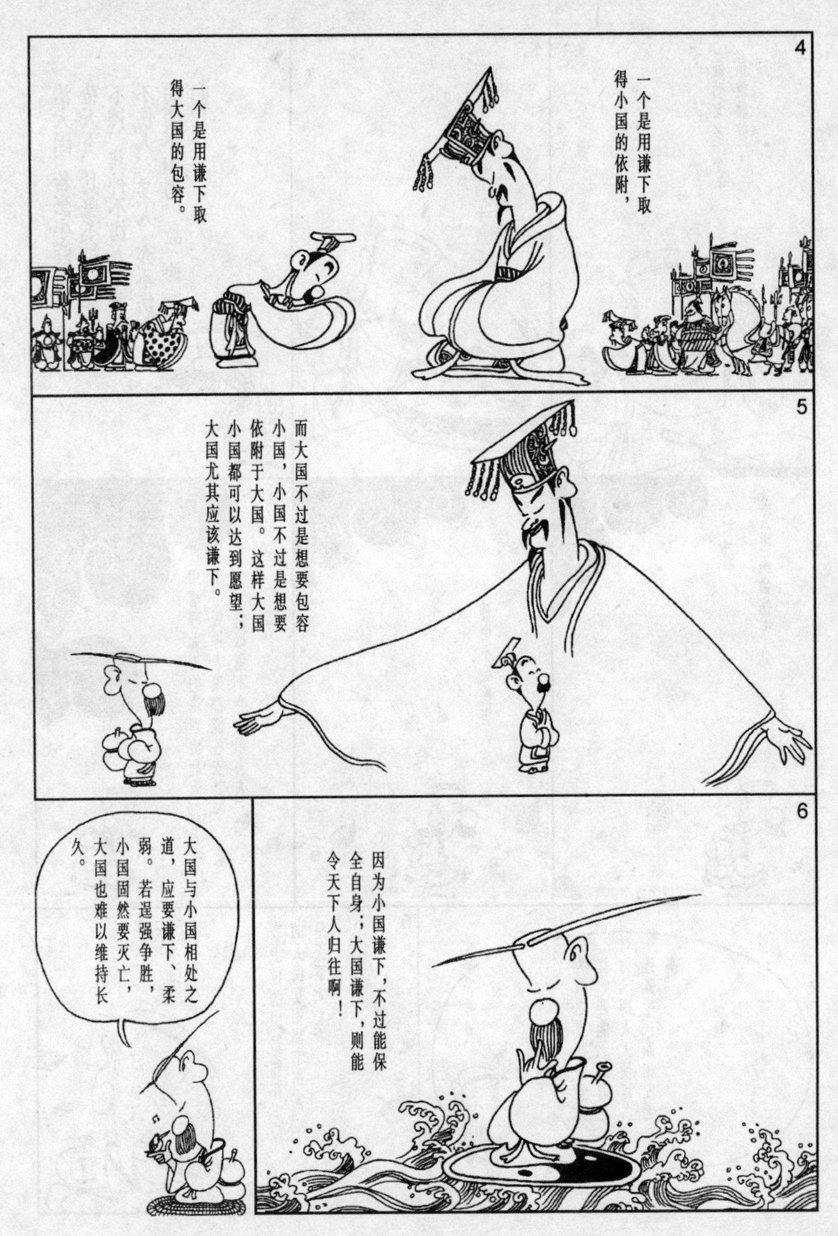
4
一个是用谦下取得小国的依附，
一个是用谦下取得大国的包容。
5
而大国不过是想要包容小国，小国不过是想要依附于大国。这样大国小国都可以达到愿望；大国尤其应该谦下。
6
因为小国谦下，不过能保全自身；大国谦下，则能令天下人归往啊！
大国与小国相处之道，应要谦下、柔弱。若逞强争胜，小国固然要灭亡，大国也难以维持长久。

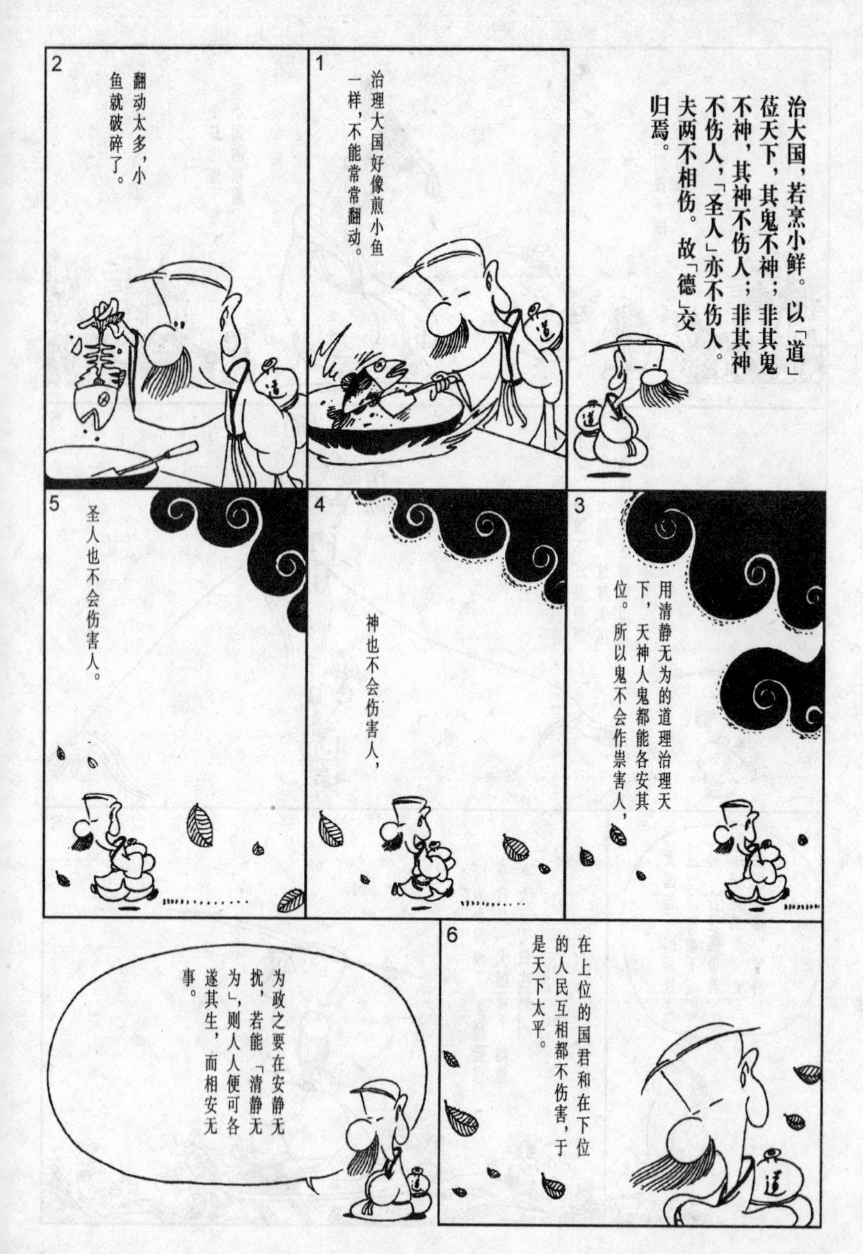
治大国，若烹小鲜。以「道」莅天下，其鬼不神；非其鬼不神，其神不伤人；非其神不伤人，「圣人」亦不伤人。夫两不相伤。故「德」交归焉。
1
治理大国好像煎小鱼一样，不能常常翻动。
2
翻动太多，小鱼就破碎了。
3
用清静无为的道理治理天下，天神人鬼都能各安其位。所以鬼不会作祟害人，
4
神也不会伤害人，
5
圣人也不会伤害人。
6
在上位的国君和在下位的人民互相都不伤害，于是天下太平。
为政之要在安静无扰，若能「清静无为」，则人人便可各遂其生，而相安无事。

「道」者万物之奥。善人之宝，不善人之所保。美言可以市尊，美行可以加人。人之不善，何弃之有？故立天子，置三公，虽有拱璧以先驷马，不如坐进此「道」。古之所以贵此「道」者何？不曰：求以得，有罪以免邪？故为天下贵。
1
道是万物中最尊贵的。善人用道立身行事，把道看作宝贝；
道
2
生命的法则……
不善的人也不敢违背道，而时时保守着它。
3
善人修道，说出话来都美好感人，能得到别人的尊敬；做出事来都美好感人，可以用来作为别人的法则。不善的人，怎能把道舍弃呢？

所以奉立天子、设置三公的时候，虽然先用璧玉，后用驷马作为献礼，还不如用「道」来作为献礼。
4
5
古时候特别重视「道」的原因是什么呢？
道
6
难道不是说因为这个道，有求就能得到，有罪就可赦免吗？所以道实在是天下最贵重的了。
道
为政者，应行无为之政，拥有拱璧驷马，不如怀着清静无为的心念，循道而行。

为无为，事无事，味无味。图难于其易，为大于其细；天下难事，必作于易，天下大事，必作于细，是以圣人终不为大，故能成其大。夫轻诺必寡信，多易必多难。是以圣人犹难之，故终无难矣。
1
无为
无事
恬淡
圣人治理天下，以无为作为政治的根本，以无事作为行政的原则，以恬淡作为施政的态度。
2
处理困难必从容易处开始，
3
实现远大目标必从细微处开始。
4
易
天下的难事，必定从容易的做起；天下的大事，必定从细微的做起。
难

所以圣人始终不自以为伟大，因而反能成就他的伟大。
再困难的事，交给我必定从容完成。
轻易的允诺，必常因不能兑现而失信；
把事情看得太容易，必经常遭遇困难。
重
轻
圣人把任何事都看得很困难，所以始终不会发生什么困难。
难
易
处理艰难的事情，须先从细易处着手。面临细易的事情，却不可轻心，应缜密周思、细心而为才不会失败。

其安易持，其未兆易谋。其脆易泮，其微易散。为之于未有，治之于未乱。合抱之木，生于毫末；九层之台，起于累土；千里之行，始于足下。民之从事，常于几成而败之。慎终如始，则无败事。

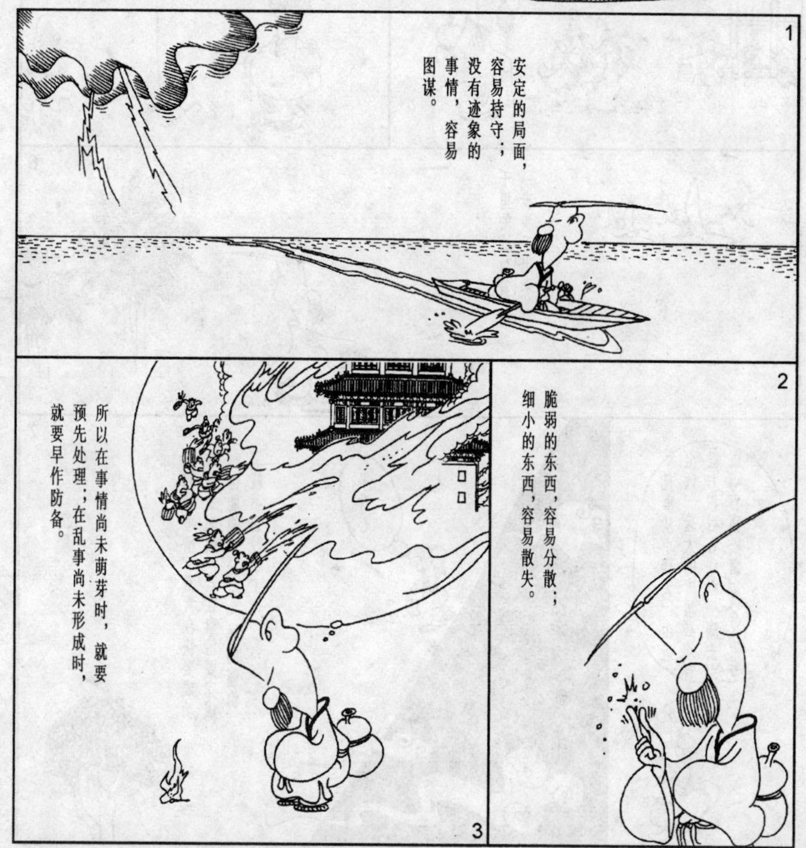

1
安定的局面，容易持守；没有迹象的事情，容易图谋。
2
脆弱的东西，容易分散；细小的东西，容易散失。
3
所以在事情尚未萌芽时，就要预先处理；在乱事尚未形成时，就要早作防备。

4
合抱的大木，是从
嫩芽长起来的；
5
九层的高台，是由一
筐筐泥土筑起来的；
6
千里的远行，是由
一步步走出来的。
7
人们做事情，常常在快要成功
时遭受失败。若在事情要完成
时也能像开始时一样的谨慎，
那就不会败事了。
平常心
凡事从小到大，由近
至远，远大的事情必须有
毅力和耐心一点一滴去完
成；心稍松懈，常会功亏
一篑。

古之善为「道」者，非以明民，将以愚之。民之难治，以其智多。故以智治国，国之贼；不以智治国，国之福。知此两者亦稽式。常知稽式，是谓玄德，玄德深矣，远矣！与物反矣，然后乃至大顺。

1
古时善于用道治国的人，不是要人民明智机巧，而是要人民质朴敦厚。
2
用什么办法对付人民……
人民所以难治，是因为他们智巧诡诈太多的原故。
想办法对付政府……
3
所以用智巧去治理国家，是国家的灾祸，不用智巧去治理国家，是国家的幸福。

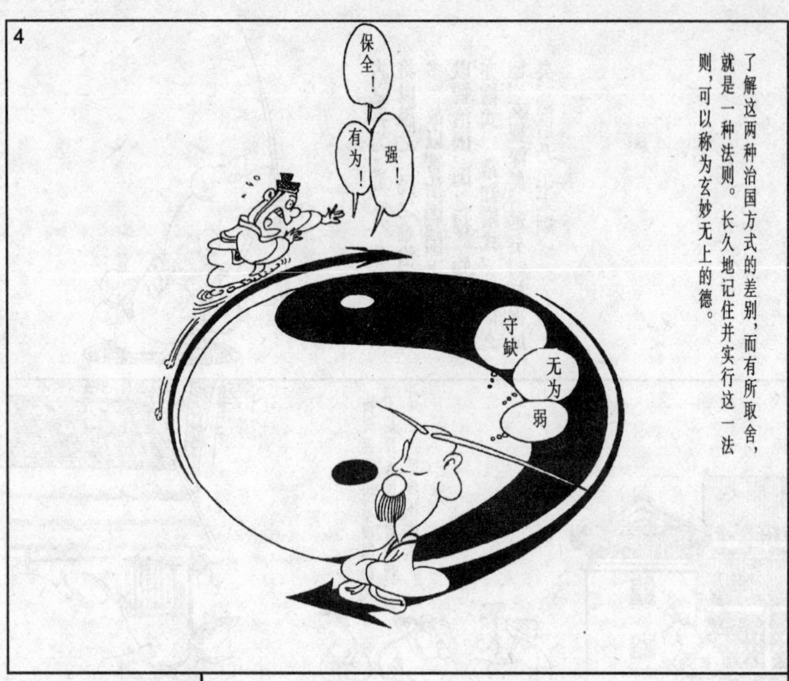
4
了解这两种治国方式的差别，而有所取舍，就是一种法则。长久地记住并实行这一法则，可以称为玄妙无上的德。
保全！
有为！
强！
守缺
无为
弱

5
这玄妙无上的德既深奥，又久远，它和万事万物相反，可是依循它而行，却可顺合于自然。
世乱的根源莫过于大家攻心斗智，竞相伪饰，于是就弄得国无宁日了。人人扬弃世俗价值的争纷而返归真朴，社会才能趋于安宁。

江海之所以能为百谷王者，以其善下之，故能为百谷王。是以「圣人」欲上民，必以言下之；欲先民，必以身后之。是以「圣人」处上而民不重，处前而民不害。是以天下乐推而不厌。以其不争，故天下莫能与之争。
1
江海所以能成为百川之王，使所有的河流奔注，是因为它善于自处低下的地位。
2
所以「圣人」要作为人民的领导，必须对他们谦下。
3
所以「圣人」居于上位而人民不感到负累，居于前面而人民不感到受害。所以人民乐于推戴而不厌弃。
4
因为他不跟人争，所以天下没有人能和他争。
统治者权势在握，一旦肆意妄作，人民就不堪其累了；因此应尽量避免带给人民负担与累害。

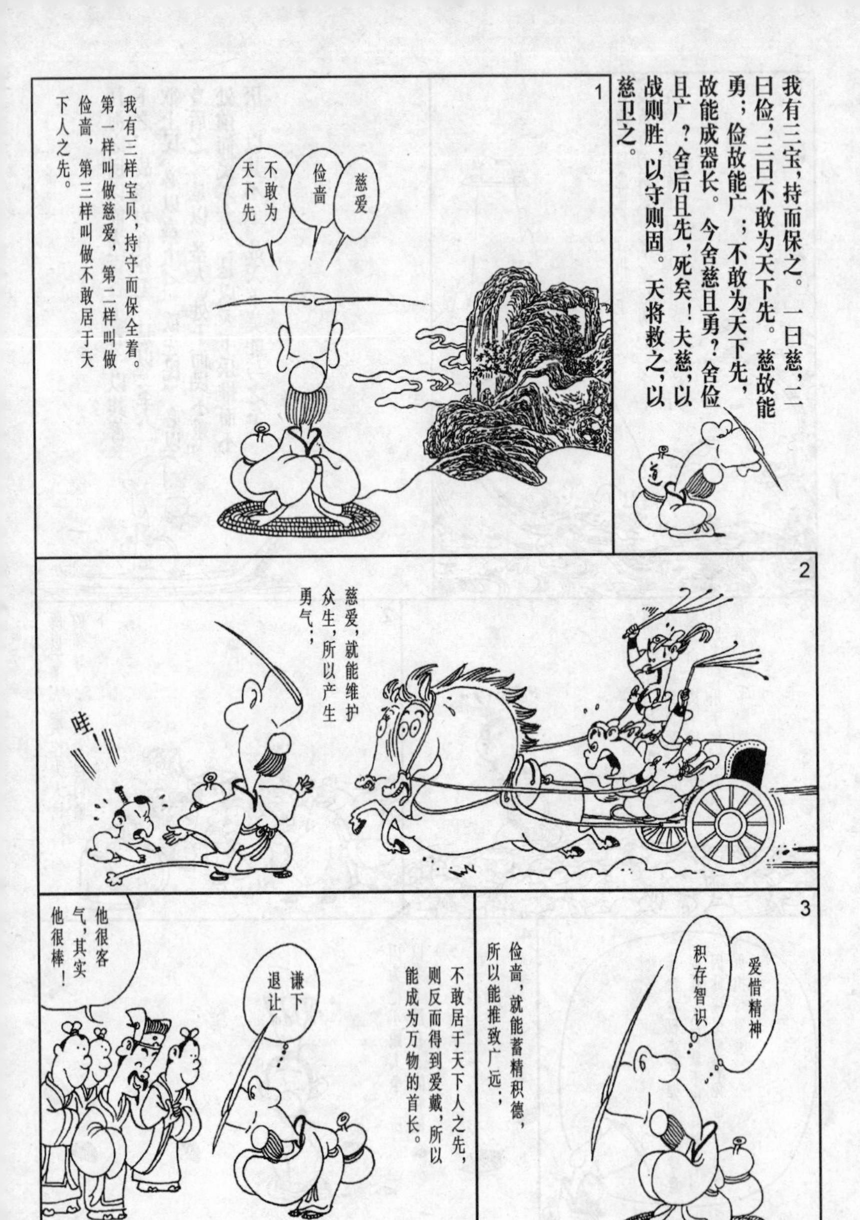
我有三宝，持而保之。一曰慈，二曰俭，三曰不敢为天下先。慈故能勇；俭故能广；不敢为天下先，故能成器长。今舍慈且勇？舍俭且广？舍后且先，死矣！夫慈，以战则胜，以守则固。天将救之，以慈卫之。
1
我有三样宝贝，持守而保全着。第一样叫做慈爱，第二样叫做俭啬，第三样叫做不敢居于天下人之先。
慈爱
俭啬
不敢为天下先
2
慈爱，就能维护众生，所以产生勇气；
哇！
3
俭啬，就能蓄精积德，所以能推致广远；
爱惜精神
积存智识
4
不敢居于天下人之先，则反而得到爱戴，所以能成为万物的首长。
谦下退让
他很客气，其实他很棒！

5
如果不能慈爱而只求勇敢……
6
不能俭啬而只求广远……
7
不能居人之后而只求争先，那必是死路一条了。
当仁不让！
8
三宝之中，慈爱最重要，用慈爱的心对待矛盾，则能获胜；用慈爱的心防守，则能巩固。
9
能够发挥慈爱的人，天也要救助他，卫护他。
爱心加上同情心是人类友好相处的基本动力，人人若能有天地对万物一律平等的大爱，世上将不再有纷争。

善为士者，不武；善战者，不怒；善胜敌者，不与；善用人者，为之下。是谓不争之德，是谓用人之力，是谓配天古之极。
1
善作将帅的，不逞勇武，善于作战的，不轻易激怒。
仁者無敵
2
善于战胜敌人的，不用对斗。
将军，与他们拼了，
不！不用打他们自然崩败。
3
善于用人的，对人谦下。
4
这「不武」、「不怒」就是不和人争胜斗气的道德。
5
如果能做到这些，便是符合自然的道理。
「武」、「怒」是侵略的行为，「不武」、「不怒」、不逞强、不暴戾，最合于自然的道理。

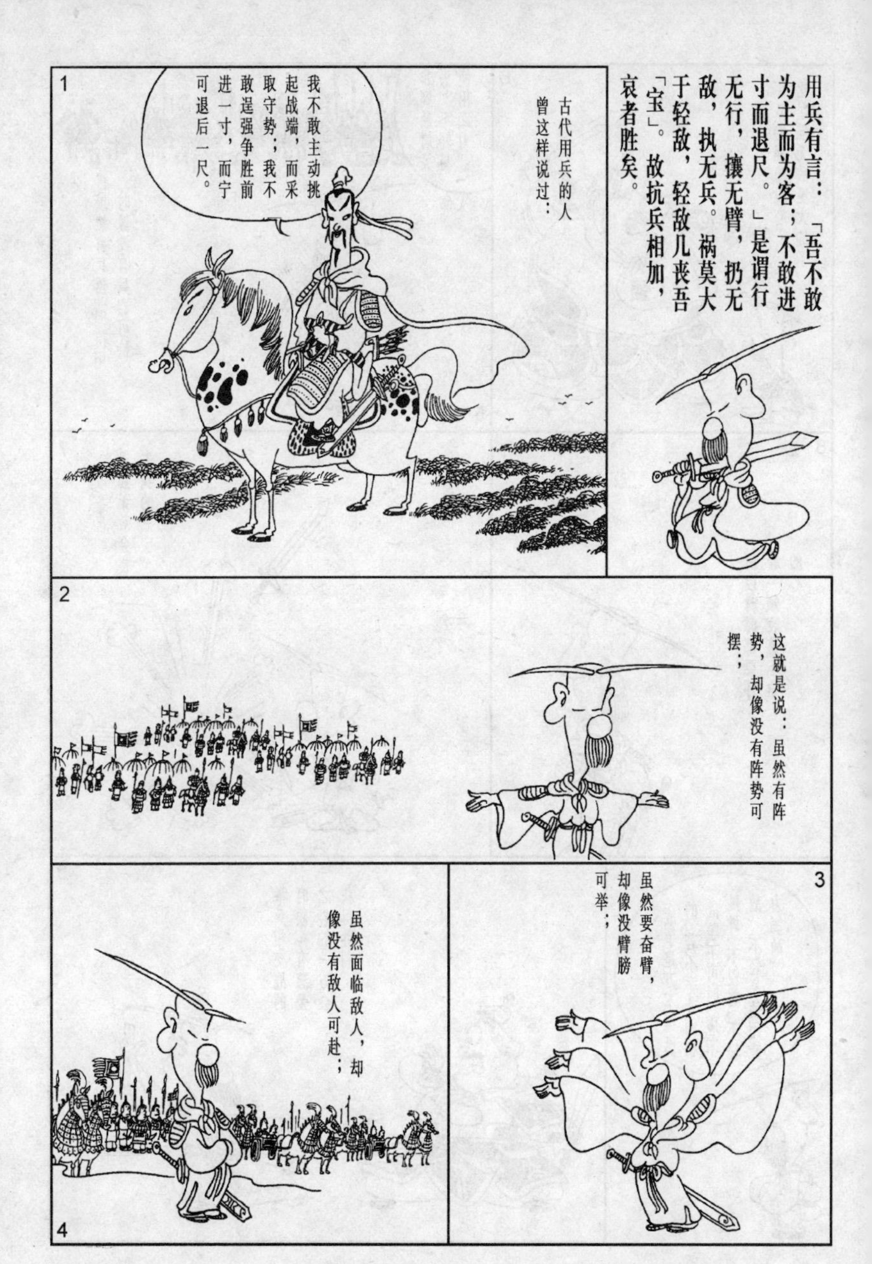

用兵有言：「吾不敢为主而为客；不敢进寸而退尺。」是谓行无行，攘无臂，扔无敌，执无兵。祸莫大于轻敌，轻敌几丧吾「宝」。故抗兵相加，哀者胜矣。
1
古代用兵的人曾这样说过：
我不敢主动挑起战端，而采取守势；我不敢逞强争胜前进一寸，而宁可退后一尺。
2
这就是说：虽然有阵势，却像没有阵势可摆；
3
虽然要奋臂，却像没臂膀可举；
4
虽然面临敌人，却像没有敌人可赴；

5
虽然有兵器，但持用时像没有兵器可持。
非到最后关头，不轻易使用武力。
6
军队的祸患没有比逞强无敌更大的了，
强
7
逞强无敌会丧失我的三宝。
砰！
8
所以时时都要怀着一颗哀慈不争的心。
9
举兵相交战的时候，有慈爱之心的一方会获得胜利。
战争是万不得已的，若不幸非面临战争不可时，应不挑衅、不侵略、不轻敌。不轻易使用武力制敌。

吾言甚易知，甚易行。天下莫能知，莫能行。言有宗，事有君。夫惟无知，是以不我知。知我者希，则我者贵。是以圣人被褐怀玉。

1
我的言论很容易了解，也很容易实行。
2
但是天下人都被私欲所蒙蔽，都被名利所迷惑，而没有人能够了解，没有人能够实行。
利
财
名
3
我的言论都有本源，我的行事都有根据。

4
正因为人们不懂我的言论和行事，所以也就不了解我了。
5
了解我的人很少，取法跟随我的就更难得了。
6
因为，圣人外面穿着粗衣，内里却怀着美玉。
虚静、柔和、慈俭、不争，这都本于自然的道理，在日常生活上最容易实行，可惜世人只慕恋虚华的外表，看不到圣人身怀的美玉。

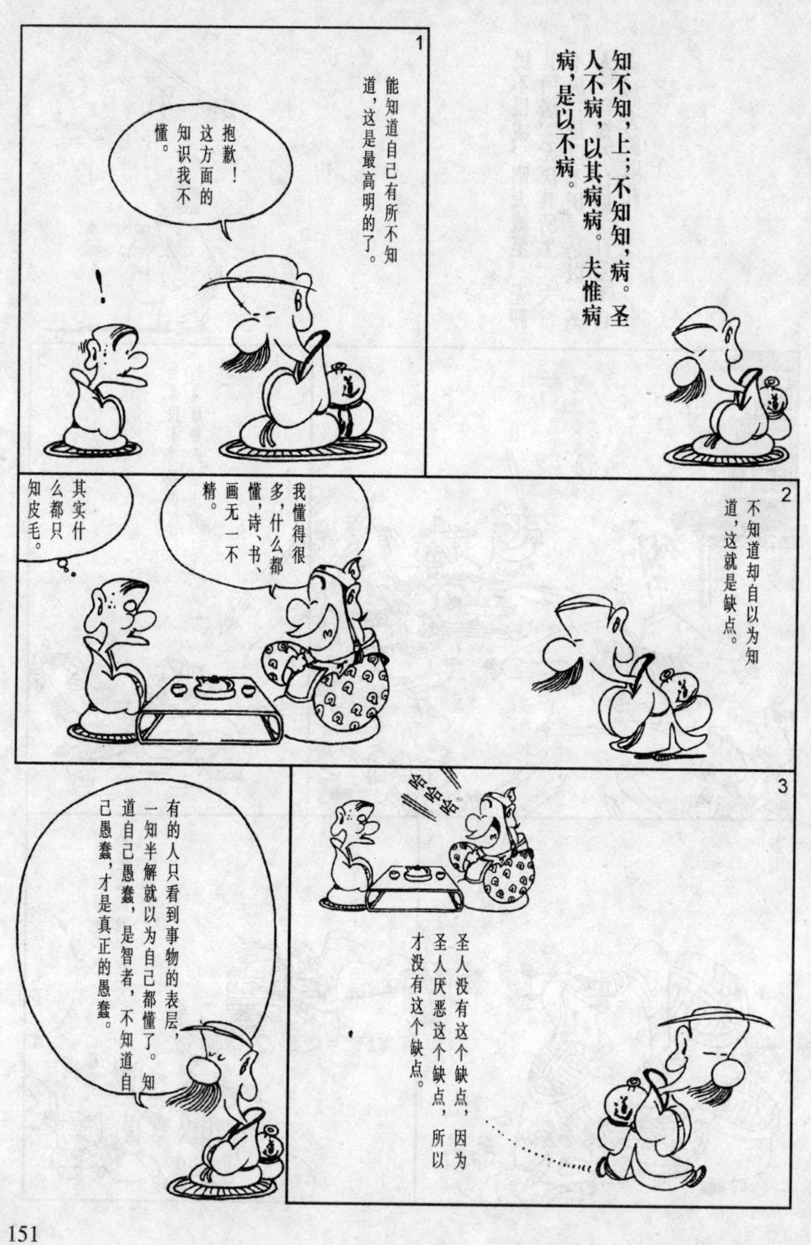
知不知，上；不知知，病。圣人不病，以其病病。夫惟病病，是以不病。
能知道自己有所不知道，这是最高明的了。
抱歉！这方面的知识我不懂。
!
不知道却自以为知道，这就是缺点。
我懂得很多，什么都懂，诗、书、画无一不精。
其实什么都只知皮毛。
哈哈哈
圣人没有这个缺点，因为圣人厌恶这个缺点，所以才没有这个缺点。
有的人只看到事物的表层，一知半解就以为自己都懂了。知道自己愚蠢，是智者，不知道自己愚蠢，才是真正的愚蠢。

民不畏威，则大威至。无狎其所居，无厌其所生。夫惟不厌，是以不厌。是以「圣人」自知不自见，自爱不自贵，故去彼取此。

当人民不再畏惧统治者的苛政暴刑威压时……
那么更大的祸乱就要发生了。
所以治国者不要胁迫人民的生存，
没有米了！
拿来！
不要压榨人民的生活。

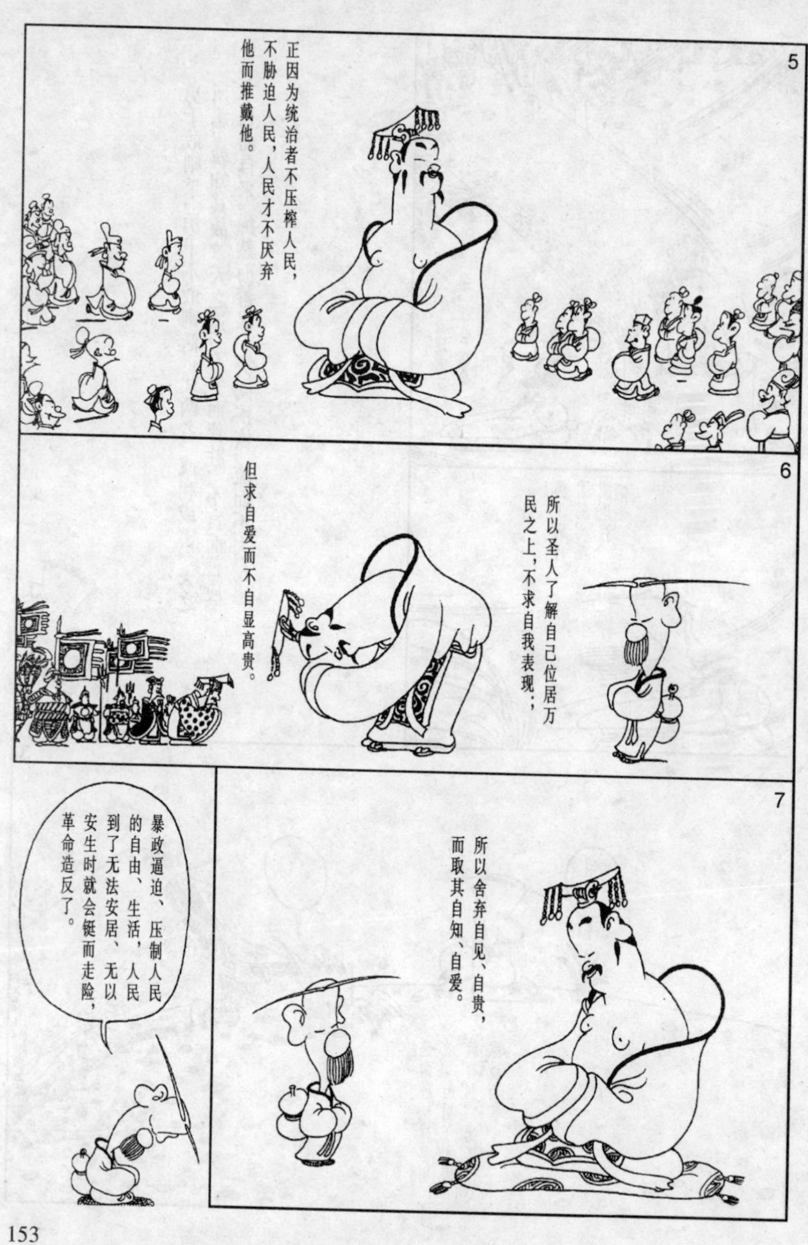
5
正因为统治者不压榨人民，不胁迫人民，人民才不厌弃他而推戴他。
6
所以圣人了解自己位居万民之上，不求自我表现；
但求自爱而不自显高贵。
7
所以舍弃自见、自贵，而取其自知、自爱。
暴政逼迫、压制人民的自由、生活，人民到了无法安居、无以安生时就会铤而走险，革命造反了。

勇于敢则杀，勇于不敢则活。此两者，或利或害。天之所恶，孰知其故？天之道，不争而善胜，不言而善应，不召而自来，绰然而善谋；天网恢恢，疏而不失。

1
勇于表现刚强，就会送命。
2
勇于表现柔弱，反能生存。
3
生！
死！
这两种同样是勇敢，但勇于柔弱就有利，勇于刚强就有害。

天为什么厌恶「勇于敢」？有谁知道是什么原因？
自然的规律是不争攘而善于得胜，不说话而善于回应，不召唤而万物自动归附，宽广坦荡而善于筹策。
自然的范围广大无边，像一张大网一样，笼罩的范围无所不包，它虽稀疏，却从来没有一点漏失。
自然的规律是柔弱不争的。人类的行为应效法自然的规律，而恶戒刚强好斗。

民不畏死，奈何以死惧之？若使民常畏死，而为奇者，吾得执而杀之，孰敢？常有司杀者杀。夫代司杀者杀，是谓代大匠斲，夫代大匠斲者，希有不伤其手矣。
1
人民饱受苛刑暴政的逼迫，到了不怕一死而起来反抗时，执政者怎么能用死来威胁他们呢？
2
如果人民真的畏惧死亡，
!
3
一有做坏事的人，我就抓来杀掉，谁还敢胡作非为呢？
哇！
4
天地间冥冥之中，一直有专司杀生者来主持生死，不需要人来代劳。

5
如果要代替天地之间的杀生者来主持杀戮，
替天行道。
6
我来代你砍。
这就好像一个不会工艺的人代替木匠去砍断木头一样。
7
代替木匠砍断木头，很少有不砍伤自己的手的。
哇！
自然界的生死自有其规律，不需要治政者用严刑暴政去代天杀人，替天杀戮者，自己也将受到伤害。

民之饥，以其上食税之多，是以饥。民之难治，以其上之有为，是以难治。民之轻死，以其上求生之厚，是以轻死。夫惟无以生为者，是贤于贵生。

1
人民之所以饥饿，是因为税赋太多，因此陷于饥饿。
再征收去，我们都得饿死！
2
人民之所以难治，是因为统治者强作妄为，因此难以管治。
政令朝令夕改，叫我们如何遵循？
令
3
人民之所以轻死，是因为统治者奉养奢厚，因此轻于犯死。
活着也无以维生，不如跟他拼了！
4
因此统治者恬淡无欲，清静无为，比起贵生奉养要来得高明多了。
剥削与高压是政治祸乱的根本，在上者横征暴敛，人民自然会从饥饿死亡的边缘中挺身抗争。

人之生也柔弱，其死也坚强。草木之生也柔脆，其死也枯槁。故坚强者死之徒，柔弱者生之徒。是以兵强则灭，木强则折。强大处下，柔弱处上。

1
人活着时，身体是柔软的，死了的时候就变僵硬了。
2
草木生长的时候是柔脆的。
3
死了的时候就变干枯了。
4
所以坚强的东西属于死亡的一类。
5
柔弱的东西属于生存的一类。

因此用兵逞强，
就会遭受灭亡。
树木强大，
就会遭受砍伐。
凡是强大的反而居于下位，凡是柔弱的反而占在上面。
狂风吹刮，高大的树木往往被摧折；小草由于它的柔弱，反而可以迎风招展。柔弱胜刚强是很明显的道理。
强

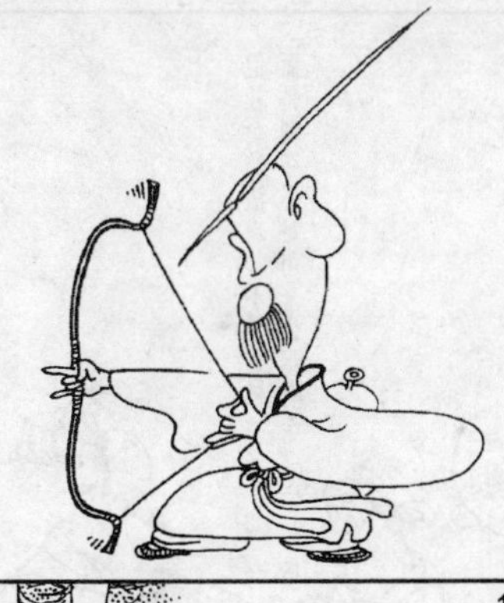

天之道，其犹张弓与？高者抑之，下者举之，有余者损之，不足者补之。天之道，损有余而补不足。人之道，则不然，损不足以奉有余。孰能有余以奉天下？惟有「道」者！

自然的规律是减少有余，用来补充不足。
但社会的法规却不是这样，而是剥夺不足用来供奉有余。
哇！劫贫济富。
给你。
谢谢。
谁能够把有余的拿来供给天下不足的？
这只有有道的人才能做到。
自然的规律是拿有余来补不足，而保持均平调和的原则。社会的规则应效法自然的规律的均平调和，才能使社会达到完满和谐。

天下莫柔弱于水，而攻坚强者莫之能胜，以其无以易之。弱之胜强，柔之胜刚，天下莫不知，莫能行。是以「圣人」云：「受国之垢，是谓社稷主；受国不祥，是为天下王。」正言若反。
1
世间没有比水更柔弱的，
2
可是它却有攻坚克强的能力。
3
弱胜过强，柔胜过刚，天下没有人不知道，但是没有人能实行。
4
因此圣人说：「承担全国的屈辱，才配称社会的君主；承担全国的祸难，才配做国家的君王。」
水性柔弱，而无坚不摧，无强不克，柔弱却含有无坚不克的性格，而胜过刚强。

和大怨，必有余怨，安可以为善？是以「圣人」执左契，而不责于人。有「德」司契，无「德」司彻。天道无亲，常与善人。
1
重大的仇怨，纵使把它调解，也会有余怨藏在心底。这怎能算是妥善的办法呢？
你不对！
不要再争执了！
你错！
2
因此「圣人」保存借据，只给予人而不向人索取偿还。
3
有德的人对待人，就像持有借据的人那样，只给予人而不索取。
借
据
道
4
无德的人，对待人就像税吏，只向人索取，而不给人家。
税
为政者不可蓄怨于民，用税赋来榨取百姓，用刑政来钳制大家。理想的政治是以「德」化民，辅助人民，给予而不索取，决不骚扰百姓。
5
天道是无所偏私的，经常帮助好人。
道

小国寡民。使有什佰之器而不用。使民重死而不远徙。虽有舟舆，无所乘之，虽有甲兵，无所陈之，使民复结绳而用之。甘其食，美其服，安其居，乐其俗。邻国相望，鸡犬之声相闻，民至老死，不相往来。
1
理想的国家是：国土很小，人民很少。
买一斤橘子。
酒
2
没有冲突纷争，纵使拥有各种兵器也不运用；
3
没有苛刑暴政，人民不需要冒着生命的危险迁移到远方；
4
虽有船只车辆，也没有机会去乘坐。
5
虽有铠甲武器，也没有机会去展示。
白当了五十年军人，没机会表现，派不上用场。

6
使人民回复到古
代用结绳来记事。
7
人民恬淡寡欲，吃的虽
是粗食，但觉得很甘美；
8
穿的虽是破衣，
但觉得很漂亮；
9
住的虽是陋室，
但觉得很安适；
10
风俗虽很简朴，
但觉得很快乐。

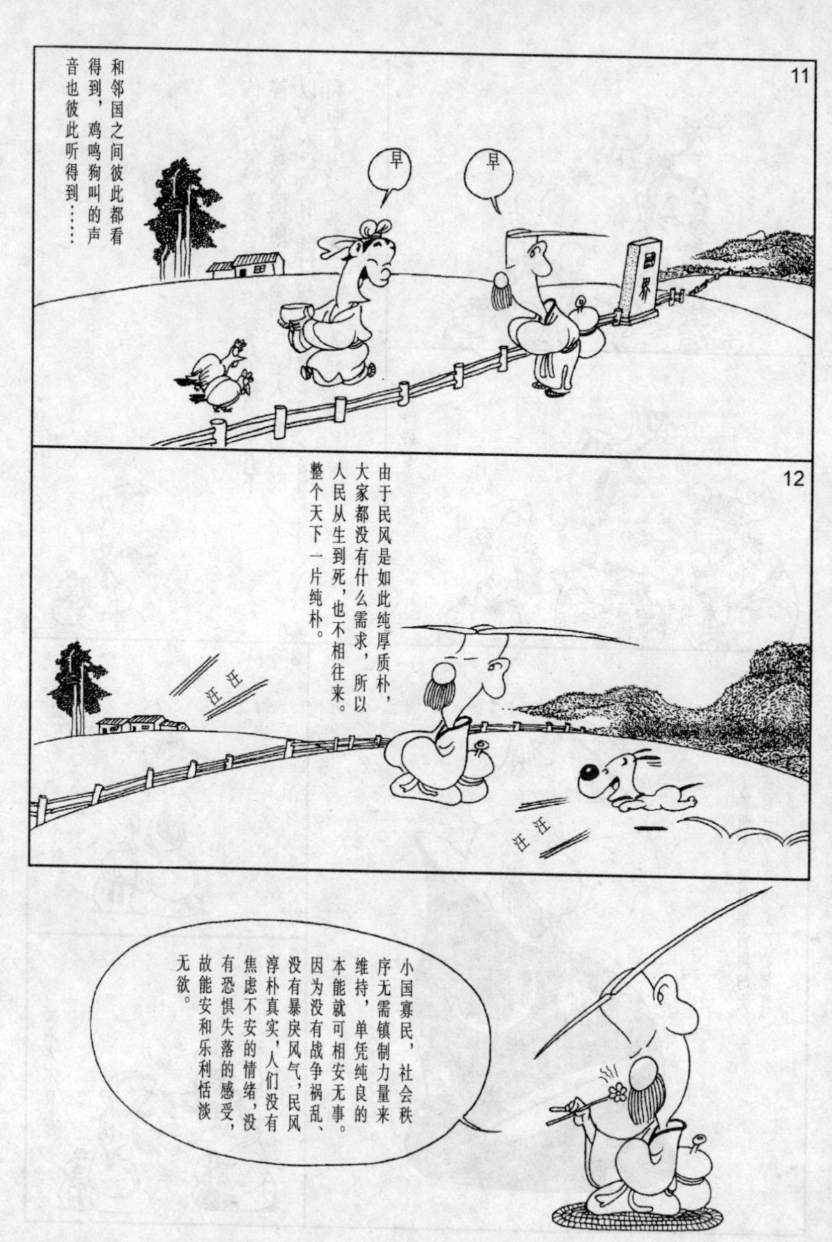
11
和邻国之间彼此都看得到，鸡鸣狗叫的声音也彼此听得到……
早
早
国界
12
由于民风是如此纯厚质朴，大家都没有什么需求，所以人民从生到死，也不相往来。整个天下一片纯朴。
汪汪
汪汪
小国寡民，社会秩序无需镇制力量来维持，单凭纯良的本能就可相安无事。因为没有战争祸乱、没有暴戾风气，民风淳朴真实，人们没有焦虑不安的情绪，没有恐惧失落的感受，故能安和乐利恬淡无欲。

信言不美，美言不信。善者不辩，辩者不善。知者不博，博者不知。「圣人」不积，既以为人己愈有，既以与人己愈多。天之道，利而不害；「圣人」之道，为而不争。

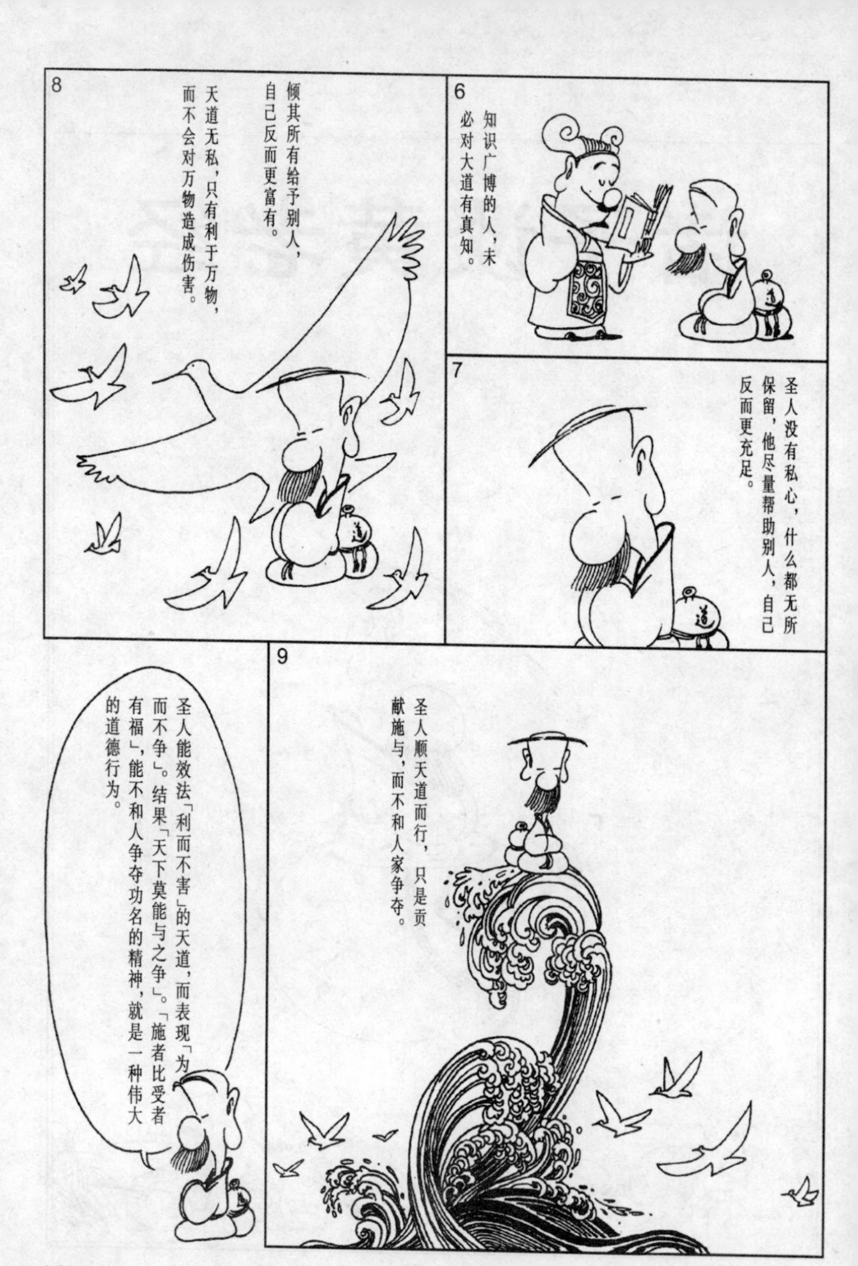
6
知识广博的人，未必对大道有真知。
7
圣人没有私心，什么都无所保留，他尽量帮助别人，自己反而更充足。
8
倾其所有给予别人，自己反而更富有。
天道无私，只有利于万物，而不会对万物造成伤害。
9
圣人顺天道而行，只是贡献施与，而不和人家争夺。
圣人能效法「利而不害」的天道，而表现「为而不争」。结果「天下莫能与之争」。「施者比受者有福」，能不和人争夺功名的精神，就是一种伟大的道德行为。

诸子谈黄老经

道可道，非常道。
——《道德经》第一章
1
从前一个瞎子，从来没看过太阳……
2
太阳是什么样子的啊？
嗯……圆圆的……
3
太阳就像这个铜盘一样……
4
嗯……
这就是太阳的声音啦……
5
明白了，谢谢你！
6
当当当
这时他听到了远处的钟声……
7
哈！太阳在那边叫了！
!

语言是无法表达一切道理的。了解「道」的人无法将「道」很明了地向不了解「道」的人说明白，就像明眼人无法跟瞎子解释太阳一样。

——译自苏东坡《日喻》

名可名，非常名。
——《道德经》第一章
1
无尽藏尼对六祖慧能说…
请替我解释这《涅经》吧。
2
对不起，我不认识字，请你把经文念出来，我可以略解其中的真理。
3
连字都不认得，怎能了解其中的真理？
4
真理是和文字无关的。文字像您我的手指。
5
手指可以指出明月的所在，但手指却不是明月，看月也不一定要透过手指啊。
文字像是手指，手指指出真理，但一般人只顾看着手指，并没有往手指指的方向深入看见其中的真理……
——译自《六祖坛经》

太上，不知有之。
——《道德经》第十七章
杨朱去见老子，
如果一个人敏捷有力、疏通明达，这人算是好的君王吗？
这种人有了才能，便供人使唤，有了技艺，便被技艺系累，徒然劳动自己的形体，离开「道」是越来越远了。
虎豹因为身上有文彩，被人捉去；猿猴也因为身子矫捷，被人捉去。你说它们是真正有智慧吗？
好的君王究竟是如何的？
明王治天下，不自以为有功，泽及万物，百姓不觉，这样神化莫测，才能算是好的君王啊！
最好的世代，人民根本不感到统治者的存在，没有政权的压力，大家呼吸在安闲自适的空气中。

人法地，地法天，天法道，道法自然。
——《道德经》第二十五章
士城绮去见老子。
听说你是有大智慧的圣人，所以不辞千里来见你，
但是见了你以后，真使我大失所望！
士成绮回去之后，原以为有胜利的优越感，但心中反而一片空虚。
我昨天骂你一顿，自以为胜利了，但心情却很空虚，请问这是什么缘故？
你昨日来的时候，神态高傲，像要和人打架一样。
就像边境上的野马，突然被人捉到，便心气浮动，完全失去了它的本性。
是！是是！应该怎么办？
失去本性的人就叫做自然的贼。你如果要修道的话，就请回复自然的本性吧！
「道」以自然为归，「道」的本性就是自然。

上德不德，是以有德；下德不失德，是以无德。
——《道德经》第三十八章
梁武帝是个非常喜欢佛法的皇帝，平时经常着佛衣、吃斋念佛。
梁普通八年十月一日达摩祖师会见梁武帝。
我自从即位以来，供养佛僧、建造寺庙、抄写佛经、雕塑佛像，这究竟有多大功德呢？
根本没有功德可言。
怎么会没有功德？
这些都是六道之中的小成果，一切都是迷惑的再生产，恰如影子跟随人，即使有善意也不是真实的。
施善事，心中不可先存有积善德之心，如果施善事是为了积德，便没有德了。

祸莫大于不知足，
咎莫大于欲得。
——《道德经》第四十六章
1
我想到天下各地去游历！
柏矩追随老聃学道。
你想先到哪里？
2
我先去齐国看看吧！
3
柏矩一踏入齐国的边界，便看到尸体。
！
4
哎呀，真可怜啊！
5
天下最大的灾害，你就先遇上了！
6
国法上说：「不要做强盗，不要杀人！」但是谁在做强盗？谁在杀人？
统治者多欲生事为害，侵人国土，伤人性命，带来无穷的灾难。

理想的人格是挫锐、解纷、和光、同尘，含敛光耀。列子却偏偏光芒外露，引来很多人，这是小聪明而不是大智慧。

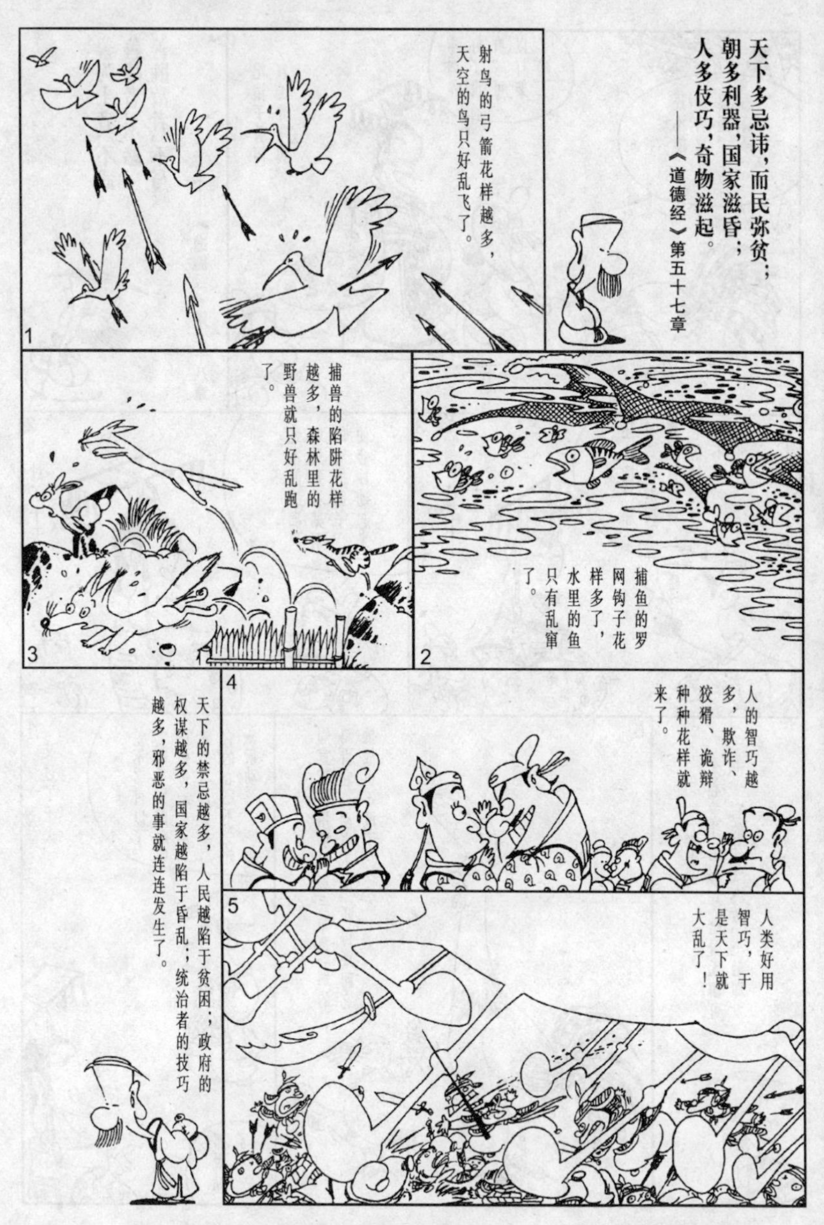
天下多忌讳，而民弥贫；
朝多利器，国家滋昏；
人多伎巧，奇物滋起。
——《道德经》第五十七章
射鸟的弓箭花样越多，天空的鸟只好乱飞了。
1
捕鱼的罗网钩子花样多了，水里的鱼只有乱窜了。
2
捕兽的陷阱花样越多，森林里的野兽就只好乱跑了。
3
人的智巧越多，欺诈、狡猾、诡辩种种花样就来了。
4
人类好用智巧，于是天下就大乱了！
5
天下的禁忌越多，人民越陷于贫困；政府的权谋越多，国家越陷于昏乱；统治者的技巧越多，邪恶的事就连连发生了。

善为士者，不武；
善战者，不怒；
善胜敌者，不与。
——《道德经》第六十八章
纪渻子替周宣王养斗鸡。
斗鸡养好了没有？可以打架了吗？
还不能。这鸡意气很盛，斗志高昂。
过了十天后，
还不能，那只鸡只要看见别的鸡的影子，便会冲动起来。
再过了十天，
还不能。那只鸡常对四周怒目而视，它的气势自命不凡。
又过了十天，
差不多可以了。它听见别的鸡叫已经没有反应，就像一只木鸡，它的心已不受外物所动。
那太好了！
周宣王便用那只鸡去斗鸡，别的鸡看它一动也不动，吓得连向它挑战也不敢了。
无心争斗的鸡，便全身无懈可击。它的劲气内敛，一触即发。

庄子说

——自然的箫声

让您不再逃避哲学

——介绍蔡志忠先生的漫画「庄子」

◉夏元瑜

看张画儿当然比看一段文字有意思。画儿虽不能有动作，可是有含意，你越细心地瞧，越能发现出它里面的精辟所在。书中有了插图更能增加读者的兴趣。如只重图，不重文字，把一张张的图连接起来，那便是连环图，您不要以为这两种图全是从西方传入的方法。其实在中国早就有了。

一、中国漫画的起源

中国的章回小说如《三国演义》、《水浒传》、《西游记》、《红楼梦》，以至《聊斋志异》，元代的《缀白裘》曲本等等木刻本内全有插图。在第一本内先把书中重要人物的全身像画出来，每页一人(有布景)，或三人(无布景)，然后在每一回的文字之前加两页(中国线装书每页是用一张纸对折成两面)的图画。有些木版画刻得极为精细。当然也有粗劣不堪的。

至于中国的连环画起源极古，北魏时的敦煌壁画中已有不少连环的宗教画，不过中式的连环图是不分段的，把故事中经过的若干阶段全画在一面横而长的壁上，或是纸或绢质的手卷上。这种长长的手卷画在北宋宣和时代在汴京的大相国寺中有不少出售的。有名的清明上河图就是那里的货色之一。

到了清末时上海出了不少描写现实生活的小说，于是时装的插图应运而生，对于透视和人体的比例也比往昔进步多了。这可说是画法上的一个大转变。以后报章杂志发行了，也离不开图。

最初的儿童看的连环图画是用油光纸石印的，故事全取材于章回小说或民间相传的古老故事。画者都是画中式人物画的匠人(不能称之为家)。每本宽约四寸，长约五寸，四册装一布套。有专业摊贩租给孩子们看。可见连环图画之被人欢迎由来已久了。

一九三三年，上海发行了「漫画杂志」月刊，由一群新的漫画家组成，很有名。这是中国的西式漫画的开山祖师，如「王先生」、「三毛」等等放在今日也是上乘之作。到了台湾之后幸赖梁氏弟兄、牛哥先生等位保持不坠。

我一世漫画看得太多了，好的能引人会心一笑，也有的道理高深，我看了领悟不出其中意思的。漫画的目的无非令人消遣解闷，看不懂也就算了。所以题材也尽量要偏于幽默方面。您没见过把佛经、论语画成漫画的吧！只有基督教和天主教有，但其目的在传教，和一般故事的不同。

二一、一本极特别的漫画册

人寿活得长了有不少好处，能见所未见，能尝所未尝，想不到老夫年逾八旬之后，竟在昨天看见了一部蔡志忠的漫画《庄子说——自然的箫声》。庄子是老子的信徒，正如孟子和孔子，保罗与耶稣一般。老子之道是要拆散一切人为的组织，返于自然。原始人固然寿短，等文明人发明了原子大战，连寿短都办不到，不如恢复了原始生活的简单平安。我读过若干古代的诸子之书，最善用比喻来说明事理的首推庄子。耶稣也常用此法，但是所含的幽默成分不及庄子。而且耶稣是宗教家，要以「信心」为第一要件，然后才能得救。庄子不是宗教家，他和孔子一样不爱谈及鬼神。庄子说的神仙全是比喻中的假设角色。他说的故事全是假的，都是一段一段的小笑话，却都带着启发性。但是二千三百年前的古文——又加以多年传抄的错误，实在令人难懂，如果译为白话文，看的人也不会踊跃。我万想不到蔡志忠先生年纪轻轻，竟会想出这个古老的点子。把庄周——庄子著作请了出来，把他老人家说的笑话画了出来。

画庄子的寓言不能用写实的笔法——全成了俩老头儿对话，毫无趣味。也不能用一笔一笔机械式的日本漫画，会令原文主旨尽失。只有用蔡先生的固有笔法最为适当。他善以工整而不写实的笔调画古装人物。那光头神探居然穿上了古装，扮演了庄周，画中的大人物身体大，小人物身体小，也十分有趣。庄子书中有许多长篇大道理十分难懂，经蔡志忠之笔，变了几格的小画，令人一看就明白，把庄子最主要的理论立刻记在心中。你如翻翻这本漫画册，就能贯通老庄哲学的大意。您也不要因有「哲学」二字而逃避。文中的理论全是用笑话拼成的。他给你解决「出风头好呢？还是默默无闻好？」「活多少岁才算够」……也谈及「生物进化」和「物质不灭」的原始观念。真是令人敬佩的一位了不得的圣人。以这些理论做成的漫画，岂非千古创举。

您看看这本书，多吸收些杂学，增加些谈话的资料，才是做盖仙的本钱。这话千真万确，不是盖的。

从领悟中得到自由

——序「自然的箫声——庄子说」

◉罗龙治

●

树上挂着一只苹果。

甲说：「我想吃它。」乙说：「我想画它。」丙说：「我想实验它。」丁说：「我想爱它。」

每个人都有一套说法，但结果会怎样呢？

●

宇宙在我们的面前。宇宙和我们形成了下列的种种复杂关系。

宇宙——我

认识对象——认识者

欣赏对象——欣赏者

实用对象——实用者

爱护对象——爱护者

……
把上述种种的关系，回看每个「自我」的时候，我们发现，每个自我也就分裂成为：
肉体的我——精神的我
这种情况。
庄周用智慧的眼神，观照了上列的情况。他说，人的生命哪能不乱呢？人的世界哪能不乱呢？宇宙有了这样的人类那能不乱呢？
怎么办？谁的错误？
如果我们继续前进的话，宇宙和人是不是都亮起了红灯。
回头吧。庄周如是说。
人应退回「认识」之前的世界。
人应退回「实用」之前的世界。
人应退回「爱护」之前的世界。
人应退回「欣赏」之前的世界。
……
那是一个「无名」的世界。那是宇宙一切精神的大仓库。那是浑沌，也是玄牝。那是「大匠」，也是「不仁」。
我们必须和那宇宙精神「交通」，我们的精神再重返天地万物的世界。
万物像变化不定的云。变化不定的风。变化不定的水。再看，一草一石一蝶，也都如是。宇宙仓库流布的精神，在万物身上闪闪发光。

人在此领悟中，得到自由。
万物也在此领悟中，各得自由。
大鱼在海水中自由。化为鸟，在天地也自由。
乌鸦不是染黑的，海鸥不是洗白的。
自然的黑，自然的白，自由自在。
乌鸦和海鸥，相看两不厌。

生花妙笔清凉剂

——序蔡志忠先生「自然的箫声——庄子说」

◉郭立诚

看完蔡先生这部《庄子说》漫画集，我对这部画集的初步想法若用佛家的术语表达出来，那就是——

他以「慈悲心」，用「大愿力」，行「方便法」，用「生花笔」调制成一服最有效的清凉剂，给一群热中名利因而昏了头的「众生」迎头泼上一盆凉水，要他们及时清醒，稳住自己的脚步，免得盲目地驾着一辆没有「煞车」的车子横冲直撞，最后必然撞得车毁人亡，陈尸街头才算罢休。

在人生路上行进，人人都各自驾着一辆车子，可是所驾的车子辆辆不同，有的车子既可从容前进，又可随时停下来，欣赏沿途美好的风景，小驻休息，借此恢复身心，然后再转动方向盘从容前进，最后必然走上成功的康庄大道；即或中途遇上崎岖难行的坎坷路，他仍可以运用智慧，以戒慎的心情，安稳地行进，然后突破险阻，找到「柳暗花明又一村」的新路，因此他虽然遭遇过许多打击和失败，可是他仍然能够走上成功之路，这是为什么？是因为他所驾驶的「人生之车」装有最灵敏的「煞车」，才能使他及时清醒，立即「打住」，免于粉身碎骨之祸。

以我的看法现代社会好像日夜不停地举行「汽车大赛」，各式各样的车子一齐出动，参加这场竞赛，可是这些驾车人谁也没有在赛前检查一下车子，就贸然地加足马力出发了，走在路上心情焦躁，患得患失，生怕别人走到自己前面，于是不遵交通规则，加速超前，结果车毁人亡，走上悲惨的「不归路」。再不然就是逞强好胜，自己不度德不量力，过于好名好利，被眩目的「虚荣」支使得「团团转」，以致迷失了方向，本末倒置，只知拚命地为自己打知名度，根本不曾想到一旦被社会大众看穿你不过是一只「金玉其外败絮其中」的「纸老虎」时，不免为天下笑的难堪。

其实这些驾车人个个天资聪明，精力充沛，身手矫健，只可惜的是他们所驾的车子不是根本没有「煞车」，就是虽有「煞车」却不肯使用，再不然就是有了「煞车」却不懂得使用，因此人生路上翻车的事件不断的发生，安稳地走完全程的总是寥寥无几。

我一向认为一个人既该懂得勇敢地驾车前进，也该懂得及时「煞车」，知其所止，个人多年以来就把老庄之学看成是「煞车」哲学，仗着这套「煞车哲学」才使我能够经过多次风浪冲击，居然没有灭顶，还能够自由自在地活到今天，这都该感谢老庄之学所赐。

目前出版界所出的东西，上焉者是用不同的方式鼓励竞争，助长火拼；下焉者则绘声绘影，引诱人沉迷堕落，海淫海盗助长犯罪，在此时看到《庄子说——自然的箫声》这部集子，真是令人喜出望外。

蔡先生以「众人皆醉我独醒」的冷静，运「智慧笔」，作「狮子吼」来唤醒迷失的「众生」，这种作为直叫人为他喝彩，至于绘画本身，我是十足的「外行」，当然是「游，夏不敢赞一辞」了。

画解庄子

◉林明德

一

阅读蔡志忠的漫画，大概已有十多年之久；认识蔡志忠本人，却是去年的事。当时，孝廉兄从日本回来，到东吴客座半年，在仲夏夜晚，邀请蔡志忠到课堂对话，并约好十点，大伙儿会合于南京东路一家小酒馆。

记得志忠是推说酒量不好，可是情绪缤纷似魏晋风调，也就不知酒之为何物了。……子夜，他是当下颓乎座中的一个。

在我的直觉里，他是老庄也是禅。

最近，他将出版《庄子说》续集，希望我能写篇序。于是带着画稿，夜访景美。我们海阔天空的谈了两个钟头：从北京到台湾；经典到漫画；人生际遇到生活情趣；哲学、经验、美感，最后落实在老、庄与禅。这是一场精彩的对话，我们共享着智慧的喜悦。

我发现，志忠性情温厚，感觉敏锐，思考独到，心灵活泼，之外，对生命有份自信与坚持。

二

庄子的生命史，茫昧难知，司马迁曾以二百多个字来创塑他的生命形象与学术性格（见《史记·老庄申韩列传》），不过，往往予人神龙见首不见尾之感。胡适之先生说：「大概他死时当在西历纪元前二七五年左右，正当惠施、公孙龙两人之间。」确切年代，仍然无法考定。根据《汉书艺文志》，《庄子》一书，共五十二篇；现存的版本为三十三篇，包括内篇七、外篇十五、杂篇十一。

当代学者钱穆先生在《庄老通辨》中对庄子有精彩的描述，他说：「庄周真是一位旷代的大哲人，同时也是一位绝世的大文豪。你只要读过他的书，他自会说动你的心。他的名字，两千年来藏在人心中，他笑骂了上下古今举世的人，但人们越给他笑骂，越会喜欢他。但也只有他的思想和文章，只有他的笑和骂，真是千古如一日，常留在天壤间。」

然而，庄子并不是那么容易接近的，他以「谬悠之说，荒唐之言，无端崖之辞」的独特方式来表达「弘大而辟，深闳而肆」的心灵世界，也一直困惑着俗世的人，因此，许多笺释注解纷纷出现。诚然，其间不乏创见，但是横看成岭侧成峰，往往无法识得庄子的全貌，一不小心便掉进文字障里而不知，此其一。就个人的了解，捕风捉影式的「庄子解读」，只属于文人的趣味，对大众而言，未必有什么意义，此其二。

为了消解上述的困境，志忠别出心裁，希望以最具亲和力的漫画语言来解读《庄子》，让老少雅俗的读者在无拘无束、趣味盎然之中，走进庄子的心灵世界。事实证明他的想法、作法是相当成功的。他不仅开辟了漫画的新天地，也为海内外带来了蔡志忠旋风。这里，让我们以《庄子说》续集作例证，来探索它的特色：

一、用经验印证庄子，心灵遗契，直披真象。

二、以漫画语言解读《庄子》，别出心裁；叙述方式，由浅入深，老少咸宜，雅俗共赏。

三、画风圆柔，笔触细腻，构图清晰。

四、发挥漫画的魅力，融汇想像，以人情味的意象，证明道理不外人情。

三

我个人从事文学研究之余，也嗜好老庄，近年来，学太极拳、练丹道、静坐调息，渐渐心领神会老庄生命哲学的奥妙。阅读志忠的《庄子说》，心有戚戚焉，也越感觉他既是老庄又是禅。

那夜，志忠说了一句感人的话：他是以快乐的心情去熬夜漫画的，有一丝不愉快，当下停笔。

他的漫画之可爱，也许可以从这里去理解。

一九八九年六月

知

识

和先圣先贤并肩论道

——我为什么要画「庄子说」

◉蔡志忠

以漫画为职业是从小立下的志愿，十七岁开始，画到今天，深深感到漫画是一种最具亲和力，最容易侵略读者的武器。

一本文言文的古书很难引起一般读者的兴趣，但是一本改编古书的漫画书就不同了，它很容易引起读者的好奇，进而翻阅，进而详读，进而对该书原文兴趣。基于这个理由，我开始尝试改编历代经典名著，首先动笔的就是《庄子说》。

每个人多多少少知道有《庄子说》这本书及庄子这个人，但是多少学子，视而不见，一生中从未能一窥庄子思想的殿堂。原因无他，是基于对文言文的惧怕，而这本漫画《庄子说》，读者只要花半个小时就能明白庄子思想的精华，希望读者喜欢「它」，阅读「它」，更希望这本漫画《庄子说》能成为读者迈入经典大门的一把钥匙，走入中国古典宝藏的文化殿堂，与先圣先贤并肩论道。

自然的箫声

庄子名周，战国时代宋国人。
那是一个强凌弱，众暴寡，离乱、痛苦的时代，现实世界的痛苦，是一个无底的陷阱，丘垄黄土下的贤者，是伟大？还是渺小？
1
庄子的视线，从此自人世移开，他所综观的乃是无穷的时空。
2

3
庄子认为：人必须自觉人的存在，人不要从他人而画出自己，
大
小
富
贫
4
不要从过去和未来画出现在，
5
不要从无价值画出价值，
6
不要从无限画出有限，

不要从死亡画出生存，这样才能超越束缚而得到自由。
7
庄子的哲学是自由的哲学。是把生命放入无限的时间、空间去体验的哲学。
8
人世的生活，在庄子看来是「无生命的秩序」，庄子所要追求的却是「有生命的无秩序」。
9

巨大的怪鸟
1
北海有一条鲲鱼，它的身子有几千里那么大。
2
有一天，它突然变成一只大鹏，它的背有几千里广，一飞直冲九万里的高空。
3
在高空中，它低头一望，地面上灰濛濛的一片，所有的山河城屋都看不见了。
4
大鹏又抬头向上一望，只见天色苍茫无际，天地和它浑然混合为一了。
胸襟要宽广高远，才会没有界限。不要站在任何角度、任何时间看事物，而是要与天地同体。

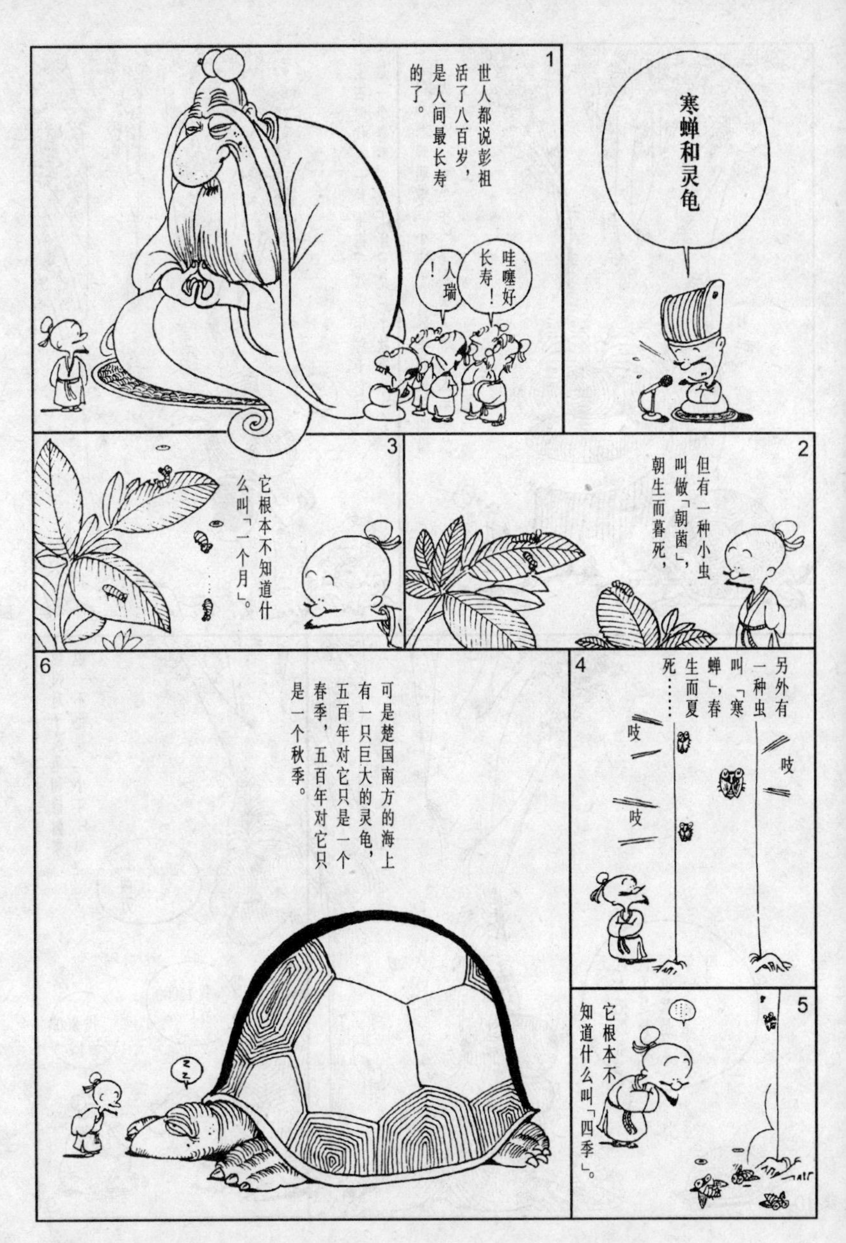

寒蝉和灵龟
1
世人都说彭祖活了八百岁，是人间最长寿的了。
哇噻好长寿！
人瑞！
2
但有一种小虫叫做「朝菌」，朝生而暮死，
3
它根本不知道什么叫「一个月」。
4
另外有一种虫叫「寒蝉」，春生而夏死……
吱
吱
吱
5
它根本不知道什么叫「四季」。
6
可是楚国南方的海上有一只巨大的灵龟，五百年对它只是一个春季，五百年对它只是一个秋季。

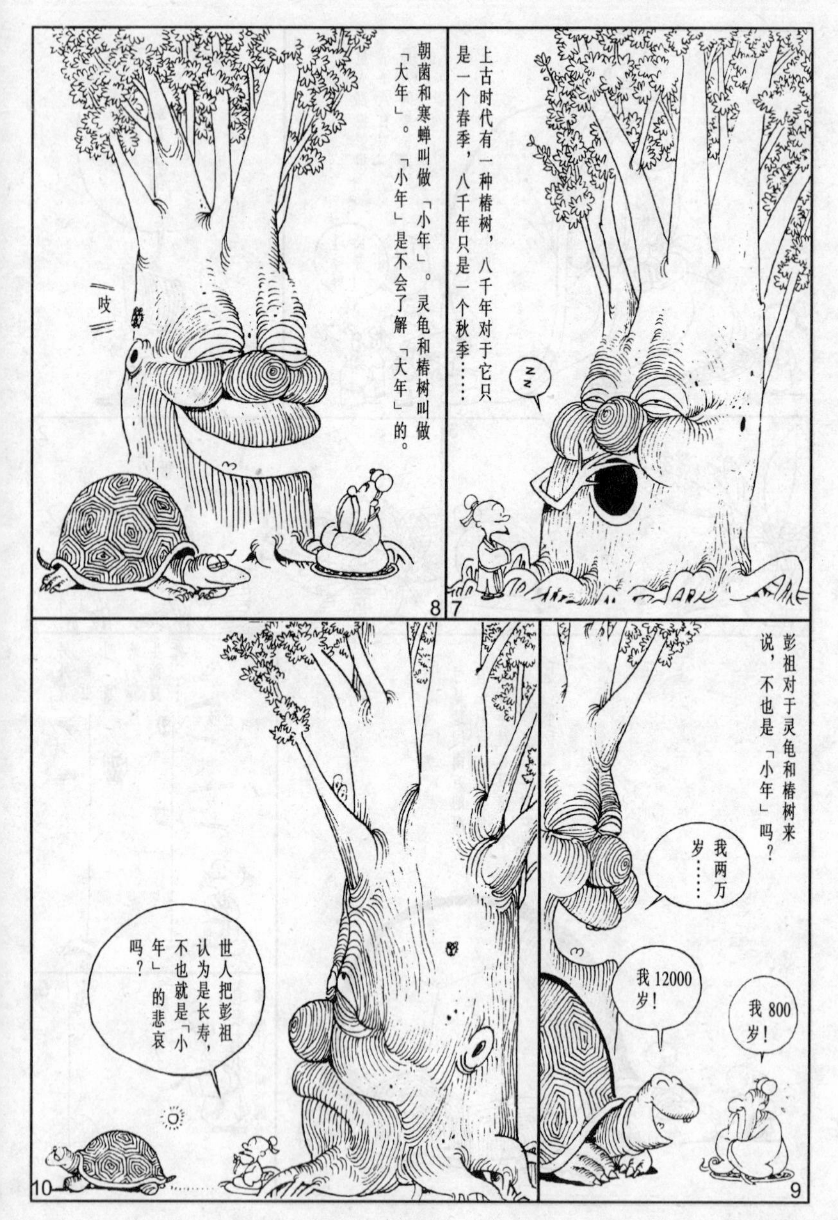
上古时代有一种椿树，八千年对于它只是一个春季，八千年只是一个秋季……
ZZ
7
朝菌和寒蝉叫做「小年」。灵龟和椿树叫做「大年」。「小年」是不会了解「大年」的。
吱
8
彭祖对于灵龟和椿树来说，不也是「小年」吗？
我两万岁……
我12000岁！
我800岁！
9
世人把彭祖认为是长寿，不也就是「小年」的悲哀吗？
10

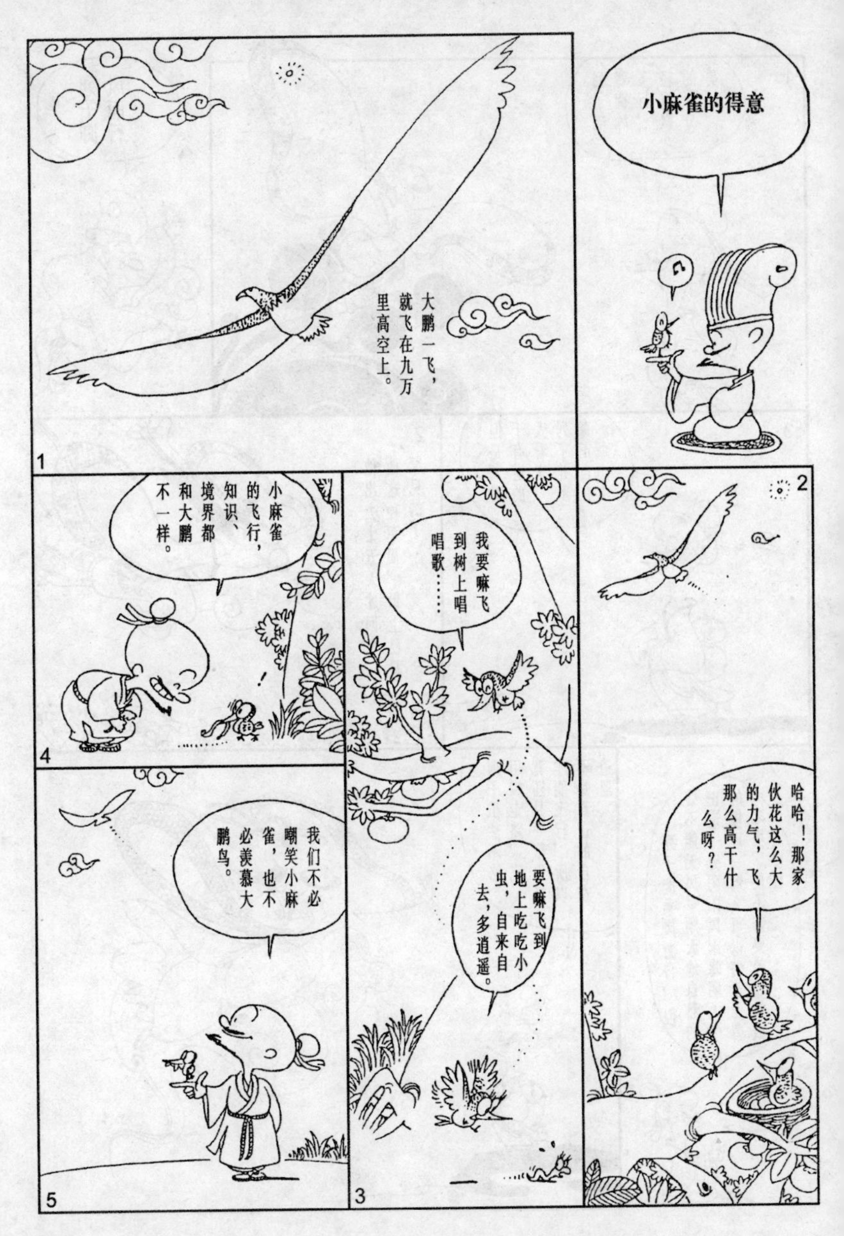
小麻雀的得意
1
大鹏一飞，就飞在九万里高空上。
2
哈哈！那家伙花这么大的力气，飞那么高干什么呀？
3
我要嘛飞到树上唱唱歌……
要嘛飞到地上吃吃小虫，自来自去，多逍遥。
4
小麻雀的飞行，知识、境界都和大鹏不一样。
5
我们不必嘲笑小麻雀，也不必羡慕大鹏鸟。

1
列子能驾御风飞行，轻飘飘的十分美妙。
列子御风而行
2
他出去十五天才回来，他这种幸福，世上已是罕见的了。
3
但是，对于有道的人看来，列子并不真正自在。
4
列子虽然不必用脚走路，究竟还是要依靠风才能飞行，所以不是真正的自在逍遥。
列子能乘风游行，但终不能无风。顺天地自然的正道，穷阴阳风雨晦明大气的极理，那么可以游于无穷之境，便不需要倚靠什么了。

越人文身
1
有一个宋国人，带着帽子和衣服到南方的越国去贩卖，他以为可以赚到一笔大钱……
2
来买衣服吧！漂亮又新潮的衣帽呀！
3
但是，越人的风俗是：剪断了头发，赤裸着身子，身上刺画着文彩，全不穿戴衣帽。
4
没有用的衣帽。
用和无用，功和无功，都是相对的，不可执着不化。尧舜的有功无功和宋人的衣帽「有用无用」都同样不是绝对的。
无用
有用

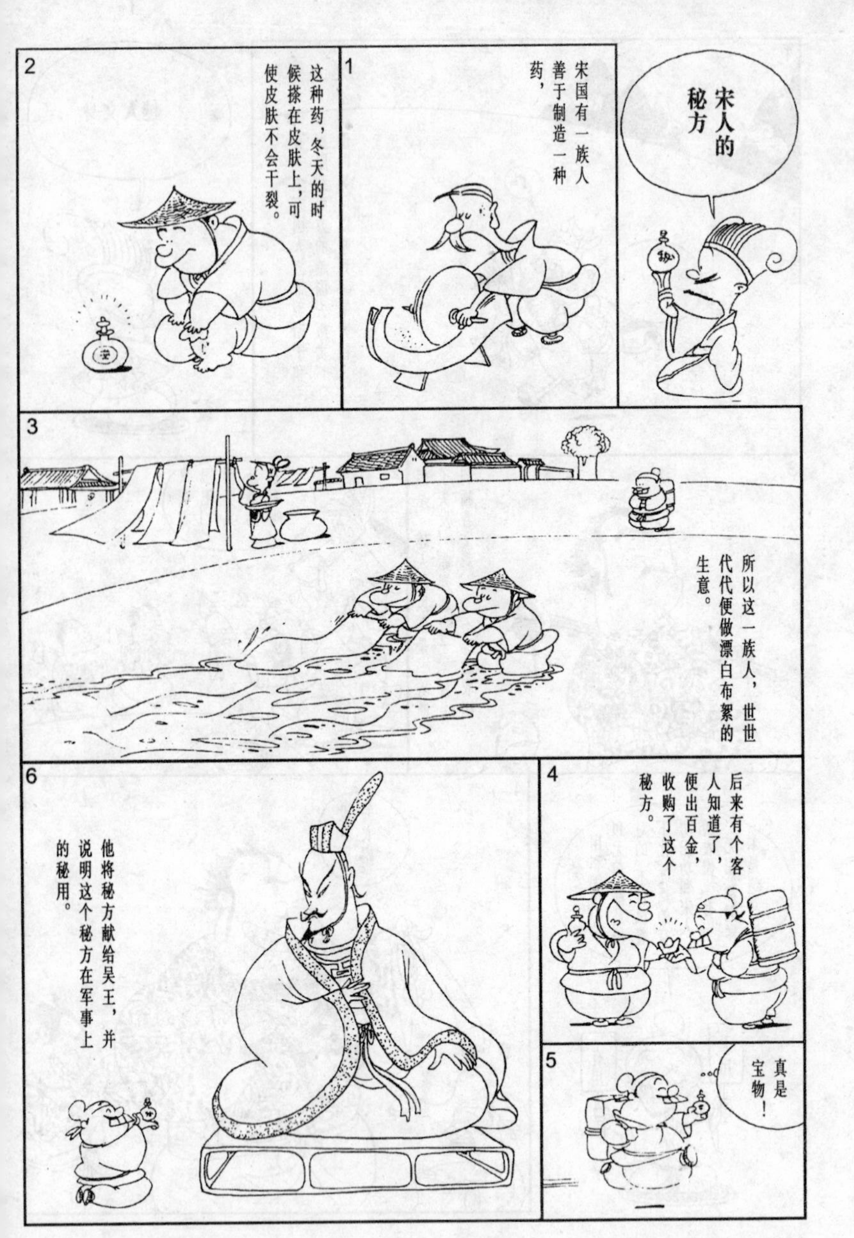
宋人的秘方
1
宋国有一族人善于制造一种药，
2
这种药，冬天的时候搽在皮肤上，可使皮肤不会干裂。
3
所以这一族人，世世代代便做漂白布絮的生意。
4
后来有个客人知道了，便出百金，收购了这个秘方。
5
真是宝物！
6
他将秘方献给吴王，并说明这个秘方在军事上的秘用。

7
那时吴越双方是世仇。
越
吴
8
吴王得到这秘方之后，就在冬天发动水战。
9
吴人恃有秘方，军士都不生冻疮，越人没有这种药，军士便生皮肤病而大败。
10
吴人打败越人以后，献秘方的客人，便受封了一大块土地，生活富裕，社会地位也不同了。
同样的一种药方，有人不会用，只好世代漂絮。有人会变通使用，便裂土封侯。

惠施的大葫芦
惠施是庄子的老朋友。
魏王给了我一些大葫芦的种子，
我把它种了，结的葫芦极大，可以装五石的容量。
可是他的质料不坚固，用来盛水，一拿起来就破了。
切成两个瓢又太浅，装不了多少东西。
因此，这葫芦虽然大，却大得无用，我就把它打破了。
……

6
可惜啊……你竟不会用大的东西！
7
这葫芦这么大，你何不做一个网子把它套起来。
?
8
!
然后把它绑在腰上做为「腰舟」，使你在水中载浮载沉不是很愉快吗？为什么一定要用来装水？
有用
无用！
有用和无用是相对的，惠施坚持以为葫芦只能装水在里面，其实水也可以装在外面，一种想法不通之后，再变通另一种便显出了妙用，这叫做「无用之用」。

许由
不受天下
1
尧想把天下让给许由……
日月都出来了，还要我这小火把干嘛？及时雨都下了，还要人工灌溉干吗？我实在不如你，所以请允许我把天下交给你吧！
2
算了吧！小鸟在树上做巢，所需要的不过一枝。
3
老鼠在溪流喝水，所需也不过满腹。
4
你把天下让给我，我要拿来做什么呢？
况且天下已经给你治好了，你想把美名让给我吗？我要这空名做什么呢？
名是实的宾位，人常为求名而委屈自己受苦，要能去名去功才能得到真实。

无用的樗树
惠子对庄子说：我有一棵很大的树，树名叫做樗；它的主干木瘤盘结。
它的小枝，也都凸凹扭曲，完全不合乎绳墨规矩。
这树就生长在路边，但从来就没有木匠去理会它。
现在你讲的话就跟这大树一样，大而不当，有谁会采信呢？

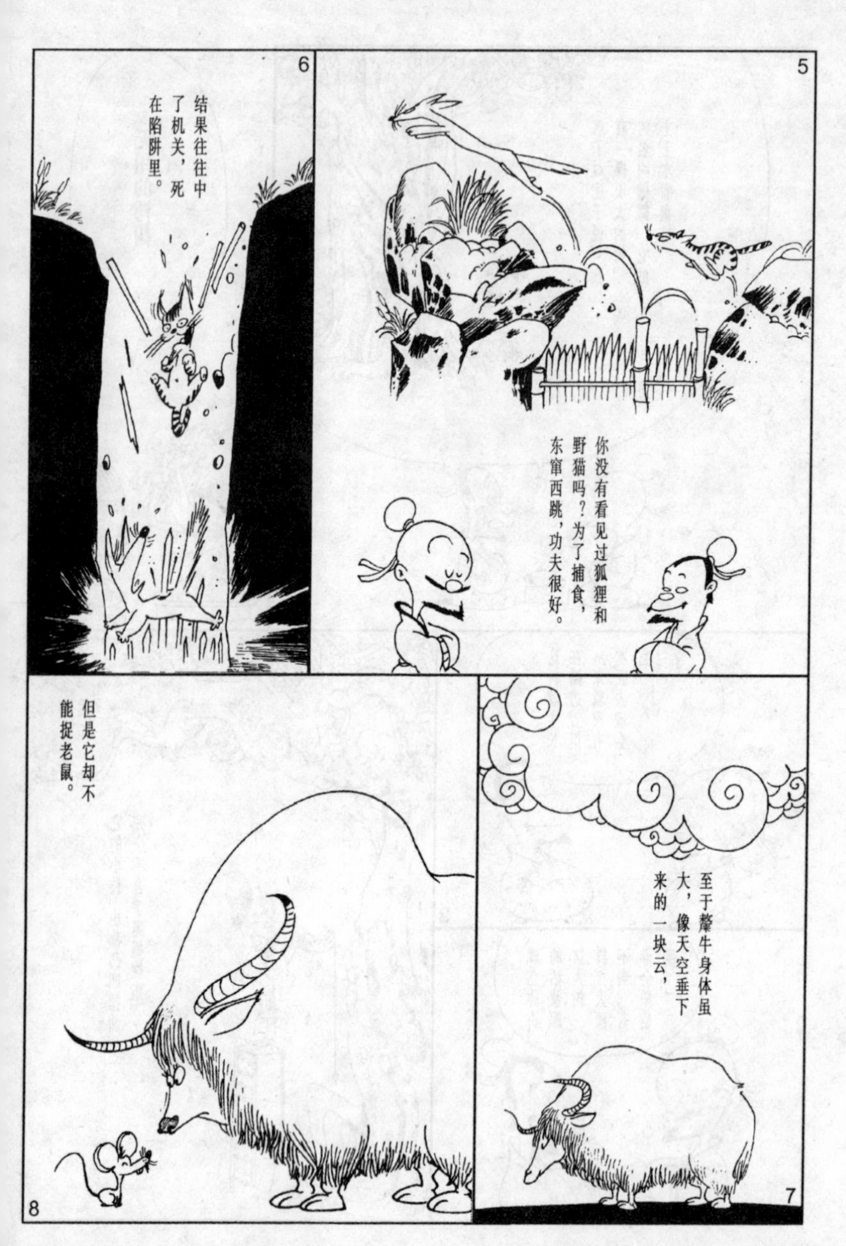
5
你没有看见过狐狸和野猫吗？为了捕食，东窜西跳，功夫很好。
6
结果往往中了机关，死在陷阱里。
7
至于犛牛身体虽大，像天空垂下来的一块云，
8
但是它却不能捉老鼠。

现在你有一棵这样大的树而愁它无用，何不把它种在空旷的地方，你就可以很舒适地在树下盘桓休息。
9
这树既然无用，自然也就不会有人来砍伐，自然也就不必操心了。
樗树没有什么用处，所以不会被砍伐。这对樗树来说，「无用之用」正是它本身最大的用处。
10

南郭子綦有一天斜靠着矮桌，仰头向天，悠然地进入了忘我的境界。
大地的箫声
老师，您今天的样子和往日大不相同，难道说人的形体可以变成枯木，心灵可以化做死灰吗？
唔。
子游，你问得好。刚才我进入忘我的境界……
你知道吗？你听过人的箫声，却没有听过大地的箫声。
你就算听过大地的箫声，也还没有听过天的箫声啊！

6
人的箫声无非是云箫或是排箫啦……
而大地的箫声就是「风声」……大地吐发出来的气叫做风，风一发作，所有的孔穴便大叫起来。
7
记得大风吗？大风一吹，山林巨木的孔穴，有的像鼻子、像嘴巴、像耳朵；有的像圈圈、像舂臼；有的像深池、像浅坑。

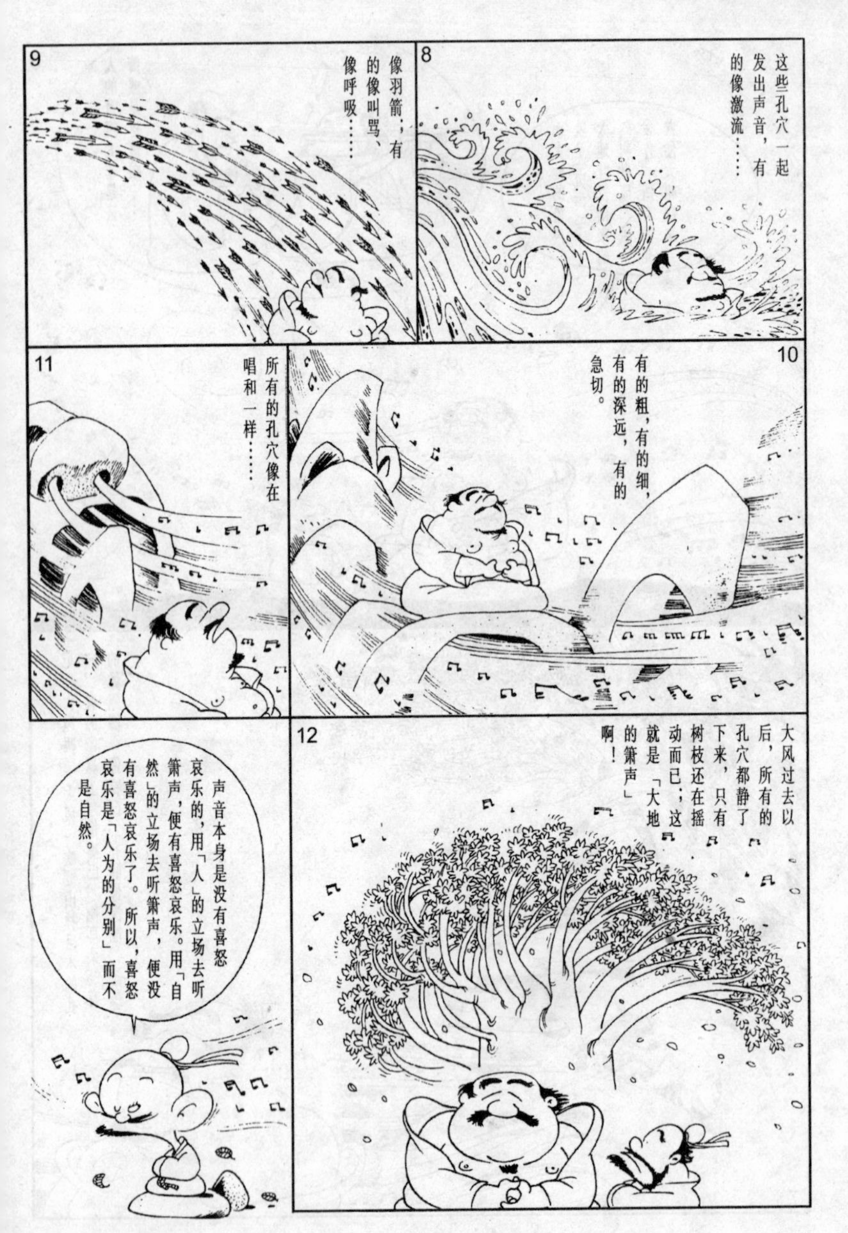
8
这些孔穴一起发出声音，有的像激流……
9
像羽箭，有的像叫骂、像呼吸……
10
有的粗，有的细，有的深远，有的急切。
11
所有的孔穴像在唱和一样……
12
大风过去以后，所有的孔穴都静了下来，只有树枝还在摇动而已；这就是「大地的箫声」啊！
声音本身是没有喜怒哀乐的，用「人」的立场去听箫声，便有喜怒哀乐。用「自然」的立场去听箫声，便没有喜怒哀乐了。所以，喜怒哀乐是「人为的分别」而不是自然。

谁是主宰
1
人的形体有手、脚、骨节、孔窍、脏腑。他们之间是如何相支配的呢？
脑
耳
口
心
手
背
2
他们都是奴婢来服侍我吗？奴婢怎能互相支配？
3
是奴婢互相轮流支配吗？还是另有真正的主宰呢？
4
事实是形体之外尚有精神，这个精神就是真正的主宰啊！
人都具有自己的「实有的真心」，这个实有的真心乃是大自然的道的缩影。人能以此为法则，去发展一切的行动，自不离自然的正道。

朝三暮四
有个养猴子的人，拿橡子喂猴子吃……
有一天他对猴子说：
早上给你们吃三升，晚上吃四升好不好？
呜！
那么，早上吃四升橡子、晚上吃三升好了！
嘻嘻嘻！
「朝三暮四」与「朝四暮三」在实质上并无增减，可是猴子的喜怒却被支配着。人是否也经常犯着与猴子相同的错误？想想看。

昭文不再弹琴
1
昭文是有名的琴师，他的琴弹得非常好。
2
但是，后来昭文再也不弹琴了。
3
因为他终于悟到：弹琴的时候，只要发出一个声音，便失掉了其他的声音……
4
只有在住手不弹的时候，才能五音俱全。
人为的音律和雕刻的道理一样，当雕刻的成品出现时，却已经损害到其余的木头，往往失去的更多，只有自然的音律才是完整无缺的。

惠施靠在梧桐上
1
惠施口才很好，和人辩论了一辈子。
2
胜！
负！
3
每当他辩论累了，就靠在梧桐树上休息。
4
惠施靠在梧桐树上休息的时候，有一次终于悟出了不辩论的道理。
!!
5
从此就不再劳神去和人家辩论了。
利用口才的辩论，把人驳倒，你便算胜利吗？你认为你「胜利」，这正是你的「失败」。

庄子说话不说话
1
庄子说：我一辈子说了那么多的话，但是……
2
我实在没有说过一句话！
形体与心意相合，随顺无已。行为只是反应内心，想工作时工作，虽然工作了很多，但实在没有工作；虽然说了很多，但实在没说过一句话！
……

尧问
1
尧问舜说：
我想伐宗、脍、胥敖三国，每当临朝都不能丢下这个念头，这是什么缘故呢？
2
这三国的君，所处的地位极卑，你又何必把他们放在心上呢？
3
当初出了十个太阳，并照万物，各不相碍，何况有德之人恩泽普及世人，非太阳所能及，反不能容这三国的国君？
人会欲望无穷，全在于有了自我意识，有了「我」即会排「他」，即成对立。其实万物虽有差别不齐，但各有各的独特价值，能并行不碍。

王倪知道不知道
啮缺问王倪说：
你知道万物的知识，有共同的标准吗？
我怎么知道呢？
真是失望啊……
你何必失望呢？
你怎么知道我所说的「知」不是「不知」呢？你又怎么知道我所说的「不知」便是「知」呢？
我且问你。人睡在潮湿的地方，会得关节炎，泥鳅会这样吗？
人住到高树上就会害怕……
猴子会这样吗？

8
人、泥鳅、猴子住的地方都不一样，你说什么才是标准呢？
9
的确！大家的标准都不同……
就是啊！
10
人喜欢吃肉，
蜈蚣喜欢吃蛇，
鹿喜欢吃草，
乌鸦喜欢吃老鼠。
11
这四种动物口味不同，谁知道哪个口味是标准呢？
万物的知识，标准不一，所以人为的标准不是「惟一」、「绝对」的标准。如果误把「相对」当成「绝对」，那便离大道太远了。

西施是美女吗？
1
如果我们当初，把天地叫做「马」，
马
马
2
或是把天地叫做「指」，
指
指
3
那么天地便是「马」或便是「指」了。
马
指
4
人自己认为对的就说「对」，认为不对的就说「不对」。
但是「对」和「不对」的标准是什么呢？
5
人认为西施是美女，鱼呢？鱼看了西施，可能就沉到水底去了。
好美！
好丑！
人用人的立场去创造知识，人就被人所创造的「知识之环」套住了。

丽姬的哭泣
丽姬做新娘，嫁给晋献公的时候，伤心得把衣服都哭湿透了。
我不嫁！不嫁！
囍

后来，到了晋国的王宫，睡在柔软的床上，吃着四海的美味，才知道自己出嫁时，哭泣有多愚蠢。
人都怕死，但谁知道死了以后会不会后悔为什么要生？这不正是和丽姬出嫁前后的情形一样吗？

长梧子的大梦
长梧子对瞿鹊说：
1
做梦的人，往往不知道自己在做梦，当他在梦中还在占卜吉利不吉利。到他醒来以后，才知道刚才在做梦。
2
有大觉悟的人，才知道生是一场大梦，但有一些愚人，却自以为是大觉悟。
3
我和你都在做梦。我说你做梦，也是梦话。
你在做梦！
有大疑惑的人，才可能有大觉悟，愚人往往自以为大悟，所以愚人终究还是愚人。

影子的对话
罔两是影子的影子。
喂喂喂
你一会儿又走、又停、又坐、又站，干什么？
我是有所依赖才会这样子，是不由自主的。
蛇靠横鳞才能爬行，蝉靠翅膀才能飞。
但它们死了，虽有横鳞、翅膀，也仍然不会走、不会飞呀！
自然之道是一种变化之道，没有固定的「君」、固定的「臣」。依赖不依赖，才是自然。

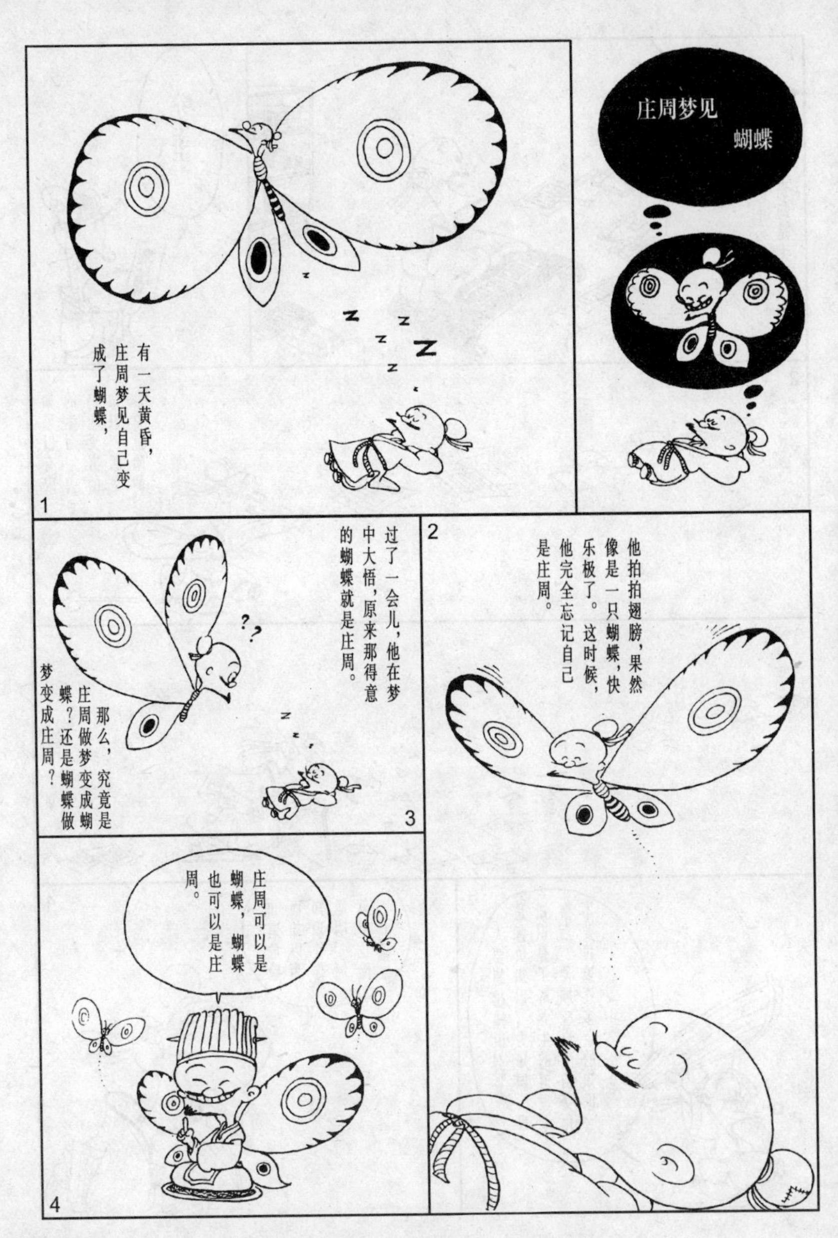
庄周梦见
蝴蝶
有一天黄昏，庄周梦见自己变成了蝴蝶，
他拍拍翅膀，果然像是一只蝴蝶，快乐极了。这时候，他完全忘记自己是庄周。
过了一会儿，他在梦中大悟，原来那得意的蝴蝶就是庄周。
那么，究竟是庄周做梦变成蝴蝶？还是蝴蝶做梦变成庄周？
庄周可以是蝴蝶，蝴蝶也可以是庄周。

养生主
知识
人的生命有限，知识却是无穷。
如果以有限的生命，去追求无穷的知识，那是非常危险的。
知道危险而却以为知识使你聪明，那就更危险了。
人要超越知识，而不是背负知识，为知识所累。知识是了解养生的道理，了解后，便顺应自然的变化，不要再追逐多余的知识。

庖丁解牛
庖丁替文惠君解剖牛，他的动作和刀子出入筋骨缝隙的声音，无不完美，像古代桑林的妙舞；当庖丁解剖完了以后，牛不知它已经死了。
啦啦啦……
真想不到你的技术已到了这样的化境。
谢谢夸奖！
我解剖牛，所使用的，不是技术，而是「道」
我最初解剖牛的时候，眼中看见的就是一头牛。

5
但三年之后，我解剖的牛多了，眼睛看见的便不再是一头牛，而是牛身上的筋骨脉络的结构。
从此以后，我解剖牛，使用心神意会，而不再用眼睛看了。
6
普通的厨子，一个月要换一把刀，那是因为他又砍又割。
7
好的厨子，一年才换一把刀，那是因为他只割不砍。
8
我的刀用了十九年，还像刚从磨刀石上磨出来的一样锋利，因为我不割更不砍。
只用了一个月……
这把刀我用了十九年。
9
我的刀锋只在牛身上的筋骨缝隙游来游去，任意活动，所以牛完全没有痛苦，而不知其死。
10
好极了，你的话给了我最好的「养生之道」。
人世的错综复杂与牛身的结构是一样的，不懂道理的人，在世上横冲直闯，只会徒然地损耗形神。

一只脚的人
公文轩最初看见右师只有一只脚，心中大惊……
后来仔细地想了一想，终于明白了……
右师只有一只脚，但只要是天生的，不是人把它砍掉的，那便也合乎自然啊！
人生下来如果都是一只脚，那么突然看见两只脚的人，便也会误以为那是不自然，其实只要天生，一只脚、两只脚，或像蜈蚣那么多只脚，亦都是自然。
天生我什么形体就以什么形体过；处于水中水中过、处于火中火中过。若能如此即能入水不冷、入火不热，处处无碍！

秦失不哭泣
老子死了，秦失来吊丧，哭了几声，就走了。
你不是我老师的朋友吗？这样子吊唁可以吗？
！
我这样哭哭就可以了。
老子该来的时候来，应时而生；该走的时候走，顺理而死。安心适时而顺应变化，所以我不必为他悲伤。
老子的弟子听了，便不再悲伤哭泣了。
老子之死，只是形体的死亡，不是精神的死亡。秦失明白这道理，所以不会为他悲伤。
秦

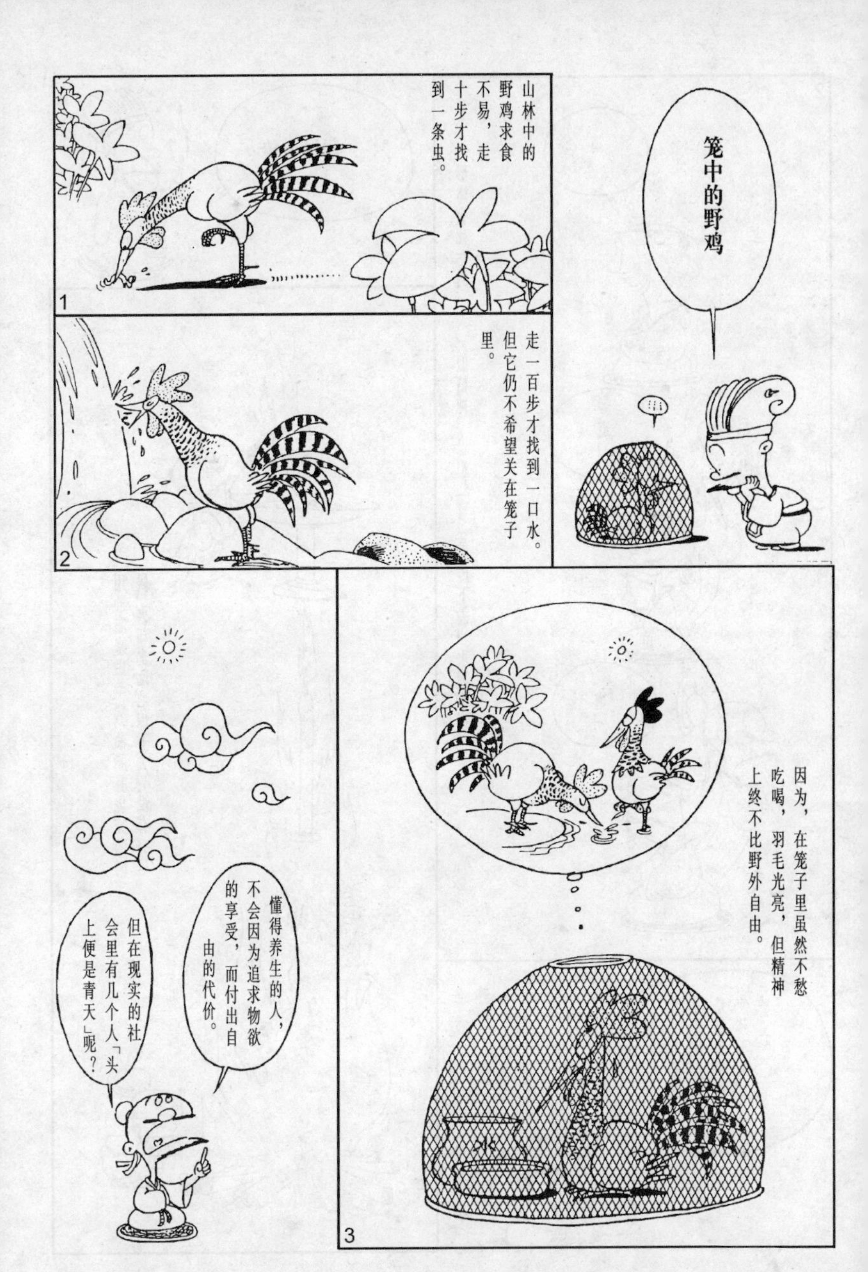

笼中的野鸡
山林中的野鸡求食不易，走十步才找到一条虫。
走一百步才找到一口水。但它仍不希望关在笼子里。
因为，在笼子里虽然不愁吃喝，羽毛光亮，但精神上终不比野外自由。
水
懂得养生的人，不会因为追求物欲的享受，而付出自由的代价。
但在现实的社会里有几个人「头上便是青天」呢？

薪尽火传
1
用油脂来做柴烧，油脂有烧完的时候，火却永远地传下去，没有穷尽。
2
形体有死亡的一天，但精神、思想却可一再传下去，永远不灭。
道！
道！
道！
养生不是保养形体，而是保养精神，使其不灭。

颜回心斋
卫国的国君很坏，颜回向孔子请求说：
老师！请让我去感化他吧。
可以是可以，但是你存心去感化他，只怕反而很难。
你先回去斋戒几天再说吧。
我从来就不喝酒、不吃荤，何必再回去斋戒呢？
那只是祭祀的斋戒，不是心理的斋戒。
什么叫心理的斋戒？
先去忘了你的心智机巧，使心一片空明，这样才能感应一切。如能做到这样，鬼神都能感应，何况是人呢？
有所为而为，便会有自我的观点，便有得失之心。应除去自我，不为功、不为名、不为己，这样才能感化人。
!

饮冰的人
1
叶公子高将出使齐国……
我这次所负的使命很重，事情如果不成，就会得罪国君；事情如果成了，我也会受内伤。
2
成与不成我都会受伤害，请问这要怎么办？
3
你现在感觉怎样？
4
我忧心如焚，一直想去吃冰解热。
5
你放下心来吧，天下有两样大法不能逃避。一个叫命，一个叫义。子女和父母关系叫做命。君臣关系叫做义。
6
所以遇到命和义这两个大法，只能忘却自我的利害得失，按照实情去做，便可以了。
不要改变所受的使命；不要强求事情的成功，只要顺着事物的自然，尽心去做就是了。

螳臂当车
颜阖问蘧伯玉说：
有个人天性嗜杀，如果放纵了他，便会危害国家。
如果去劝他向善，便会先危害到自己。
那个人通常只看到人家的过失，看不见自己的过失！
对付这种人要善巧合顺，别激怒他。
他像婴儿一样，你便也装做婴儿一样。
他颠三倒四，你也装做颠三倒四一样。
哈哈哈
哈哈哈

哈哈哈
先使他觉得你和他是同类，慢慢再设法把他引导过来。
7
为什么要事先对他那么和顺？
8
你没有看过螳螂吗？把它激怒了，它就举臂去挡住车轮，自以为力气很大。
9
你若夸大自己的才能去触犯他，那就和螳臂当车一样危险啊！
10
劝人向善，所用方法不当，常常会招致危机。
用自己的长处去压倒别人，是危险的事啊！

养虎的人
养虎是件危险的事。懂得养虎的人，都不敢拿整只活的动物给它吃。
1
2
因为老虎在搏杀生物时，会引发怒气。
3
野性一发，往往不可收拾。
4
所以养虎的人要顺着虎的性情来养它，
老虎有老虎的性情，如果能顺着它的性情，老虎便也不凶暴、不可怕了。
5
就能把它养得像猫一样柔顺。
妙！
喵！

爱马的人
从前有一个极喜爱马的人。
他侍候他的马无微不至，他用竹编的筐筐去接马粪，用巨大的海蛤去装马尿。
有一天，他去拍马背上的吸血苍蝇……
吸！
哞！
马一受惊，便把养马的人踢死了。
你喜欢一个人，但那人不一定会了解你的爱。

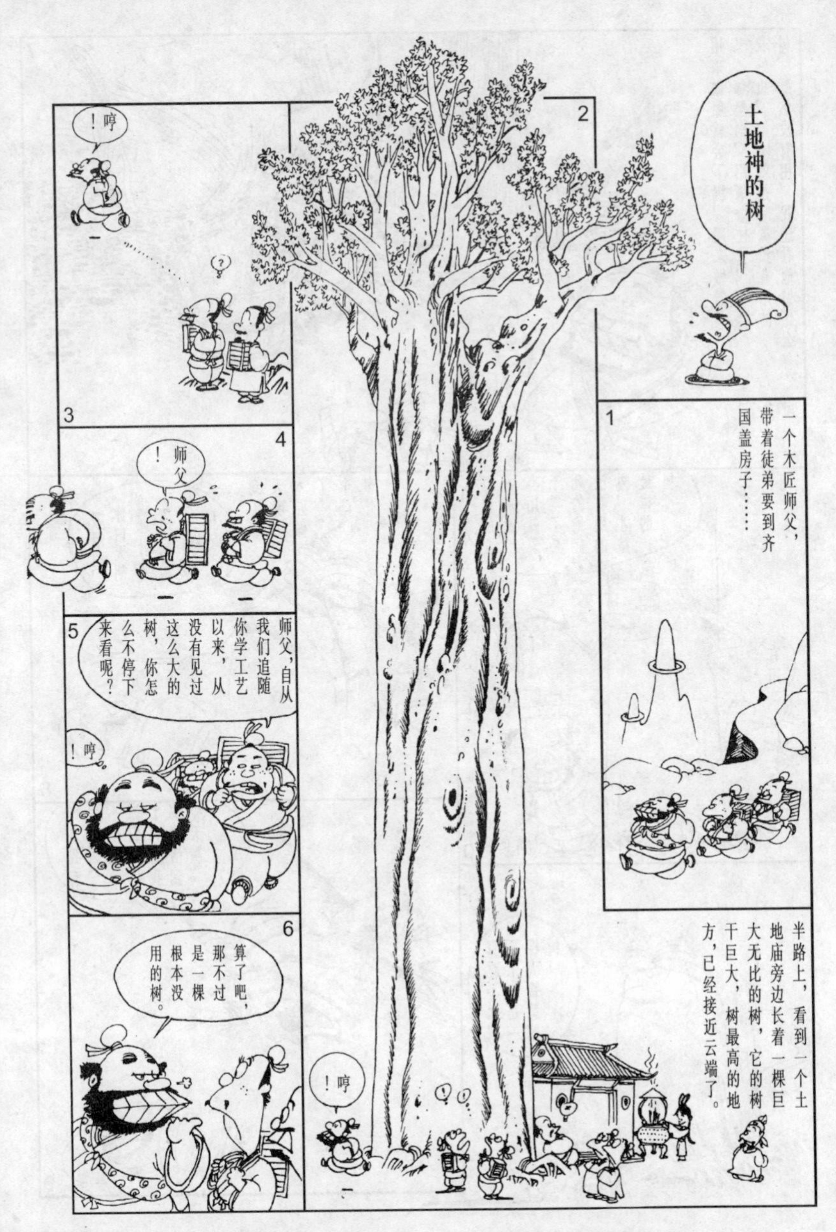

土地神的树
一个木匠师父，带着徒弟要到齐国盖房子……
半路上，看到一个土地庙旁边长着一棵巨大无比的树，它的树干巨大，树最高的地方，已经接近云端了。
！哼
！哼
！师父
师父，自从我们追随你学工艺以来，从没有见过这么大的树，你怎么不停下来看看呢？
！哼
算了吧，那不过是一棵根本没用的树。

用来做船就会下沉，用来做器具又不够坚固，用来做柱子，又会长蛀虫，根本就是一棵没有用的树，既然没有用，我还看他做什么？
到了那天晚上，木匠做了一个怪梦……
喂喂喂，你白天胡说些什么？你说我是没有用的树？
Z
Z
如果我有用的话，不早就给你们砍掉了吗？我哪能活到今天呢？
以树的立场来说，有用就等于得了必死的绝症，没有用的树，才是最棒的树。
有用
有用
有用
真对不起，原来你是一棵大智慧的树。

树的夭年
1
宋国荆氏的地方，适合种植楸树、柏树、桑树。这三种树长到一握粗的，就被砍去做养猴子的木桩。
2
更粗的，便被砍去做高大的房子。
3
最粗的，就被富贵人家砍去做棺材了。
福
4
所以这些树，都不能享尽自然所赋予的年寿，纷纷中年夭折了。
可怜哪……有用的树们……

5
古代祭祀河神的时候，凡是白额头的牛、高鼻子的猪、有痔疮的人，巫祝都不会把他投到河中祭祀河神，因为这些都被看做「不祥」。
白额牛
不祥之物……
高鼻猪
痔疮人
6
但对于有智慧、通变化的人，便常以「不材」「不祥」的姿态出现，以免除世上的祸害。
不祥
不祥
不祥

美和丑各有各的特性，是不必区分出「好、坏」「祥、不祥」的。
女子因为长得美，便做了河神的「牺牲」。那么……「美」究竟是「祥」？还是「不祥」？
祥？
不祥？

不可想像的怪人
有一个怪人，头弯到肚脐下面，两个肩膀高过头顶，发髻朝天，五脏不正，腰夹在两股中间，他叫做——支离疏。
支离疏替别人缝洗衣服，就可以养活他自己。
替人卜卦算命，可以养活十几个人。
大吉大利
在乱世的时候，官吏到处拉人去当兵，支离疏大摇大摆地在路上走，没有人会要他。
哼哼！
有时候……政府救济贫民，支离疏列入甲级贫户，可以领到不少的柴米。
米
有智慧的人，不计较形貌的残缺和丑陋。残缺和丑陋也能免除许多的祸害。
对！
酒

楚狂人接舆
孔子周游天下，来到楚国。
楚国的狂人接舆，见孔子自身难保还在推行他的道德理想……
凤呀！凤呀！你怎么这般的落魄！天下有道，智者便出来化成天下。天下无道，智者只能保全性命要紧。
算了吧！算了吧！这样的时代。不要再用你的光明去显出人家的黑暗。
荆棘啊荆棘，不要伤了我的脚。我已经在拐弯走了。
有智慧的人，出处进退，要看时机才好。
1
2
3
4

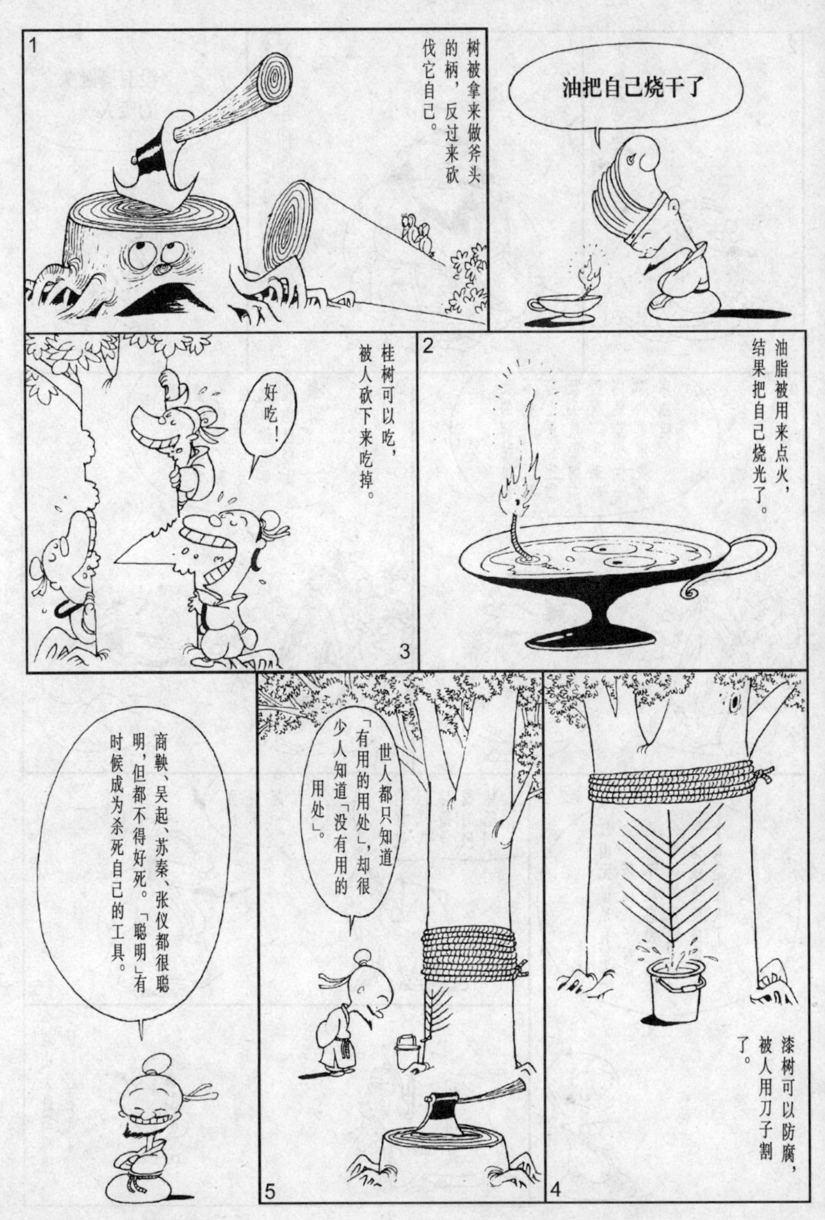
1
树被拿来做斧头的柄，反过来砍伐它自己。
油把自己烧干了
2
油脂被用来点火，结果把自己烧光了。
3
桂树可以吃，被人砍下来吃掉。
好吃！
4
漆树可以防腐，被人用刀子割了。
5
世人都只知道「有用的用处」，却很少人知道「没有用的用处」。
商鞅、吴起、苏秦、张仪都很聪明，但都不得好死。「聪明」有时候成为杀死自己的工具。

没有脚趾头的废人
鲁国有一个被砍去脚趾头的人名叫叔山无趾。
有一天，他用脚跟走路来见孔子。
从前你不自爱，才被官府砍掉了脚趾头。今天就算你来见我也已经太晚了。
我的脚趾虽然不见了，但我身上还有比脚趾头重要的东西啊，我来见你就是想保全那些更宝贵的东西呀。
哼！
真是对不起！
请你进门来指导指导我的门徒吧！
叔山无趾是有德之人，所以孔子对他再也不敢怠慢。那么形体的残缺，当然也就不能决定哪个人是废人了。
叔山无趾不再说话，径自走了。

形体与精神
1
我有一次到楚国去，看到一群小猪正在吃母猪的奶。
2
忽然间，母猪两眼翻白，死了。
3
小猪都惊惧地逃走。
4
小猪爱它们的母亲，不是爱它的形体，而是爱主宰它形体的精神啊！
母猪活着和死时，形体并没有改变，但精神却完全不同了。所以真正代表一个人的不是他的形体，而是他的精神。

人是无情的吗？
惠子对庄子说：
人是无情的吗？
是的。
人若无情，怎能称为人呢？
道给了人容貌，天给了人形体，怎么不能称为人？
既称为人，怎么没有情？
这不是我所说的情，我所说的无情是……
不以好恶损害自己的本性，经常顺任自然而不用人为去增益。
人为的感情有所爱，便有所不爱；自然之情无爱，无不爱，所以能普及。能普及，就能长久。

何谓真人
1
有真人才能有真知。
2
古时候的真人
失败不气馁，
成功不骄傲，
不谋虑事情；
3
过了时机而不失
悔，顺利得当而
不自得。
4
他登高不发抖；
5
下水不觉湿；
6
入火不觉热。
7
只有知识能到达与道
相合的境界才能这样。
道
生不欣喜，死
不拒绝；事情来了
欣然接受，不用心
智去损害道，不用
人为的作为去辅助
天然。这就是真人！

道比天高
生
死
生死都是天命，就像日夜交替，不是人力所能改变的，所以不必系念。
人只以为天是生我的，就把天当做父亲一样敬爱……
何况有比天高出一等的「道」呢？
人只以为国君的地位比自己高贵，就肯替他尽忠效死，
何况有比国君更高贵的「道」呢？
真人不嫌少，不夸功，不求名，他把大道当做师父去效法它。

1
相忘于江湖
江湖的泉源干枯了……
2
鱼儿都困在地面上，很亲切地用口沫互相滋润……
3
沾润一点我的口水吧，免得渴死啊。
谢谢你！你真仁慈又有义气啊……
4
这倒不如江湖水满的时候，大家悠游自在，不相照顾的好。
人为的仁爱毕竟是有限的，当人需要用仁爱来互相救助时，这世界便已不好了。大自然的爱是无量的，所以人应相忘于自然如同鱼相忘于江湖。

藏天下于天下
自然是变化不停的，凡是悦生而恶死的人，便是不通自然之理的缘故。
人当然怕死啊！
这种人就好像是他把船藏于山里，
把车藏在岛上，自以为非常稳固。
半夜里来了一个巨人，把整座山都背走了。那人还在梦中，以为船仍藏在原地呢。
Zzz
把生死交付给自然，把天下藏在天下，这便是师法自然的大宗师。

人相忘于道术
子贡问孔子说：
老师为什么要游于四方接受礼教的束缚？
要暂游方外也可以呀！
有什么方法？
鱼的生活，水才舒适。
人的生活，道才舒适。
道
鱼在江湖中自由自在，忘记了自己在水里。
鱼是生活在水中，
人在自然，只要得道快乐自足，便忘了道的存在。
人是生活在道中！
道
水？水在哪里？
!
道？道在哪里？
道
人心装满了各种知识，就被知识隔成一间间小房子，那就不自在了，所以要打通知识，超越知识。
教
知
识
礼

自然的生灭
意而子问许由说：
先生在山林好吗？
你来这里做什么？你不是和尧在一起吗？这些年，尧教给你什么呢？
尧教我要力行仁义，要明辨是非呀！
仁义
那么尧已经在你的脸上刺字，用仁义伤害你的脸，用是非割了你的鼻子。
难道你不自觉吗？这样你还想来到自然的路上自在逍遥吗？
先生指导我，让我遨游于大道吧。
眼睛坏了，怎么看得见颜色呢？

无庄得了大道，忘了自己的美貌。据梁得了大道，忘了自己是男士。黄帝得了大道，忘了自己的智慧。
这些都是锤炼的功夫罢了！谁知道造化不是用刺伤我的脸、割去我的鼻，来考验我呢？
啊！自然，你这大宗师啊！秋霜凋残万物，不是有心制裁！春雨生养万物，不是为了仁慈。你雕刻万物种种形状，不是有心显示机巧。
意而子，你想在自然的大道上遨游，就随我来吧。
自然的变化，纯是无心的作为。春雨秋霜，不是有心为生灭。自然的生生灭灭，实则不生不灭，不增不减。

颜回坐忘
颜回向孔子说：
我有进步了。
什么进步？
我忘去礼乐了！
很好，但还不够。
是
老师，我又进步了！
什么进步？
我忘掉仁义了！
很好，但是还不够。

老师，我又进步了。
怎么进步法？
我坐忘，当下忘我了。
什么叫坐忘呢？
不用耳目的聪明。忘去形体、忘去心智，使心中空明。万象生灭任他去来，这叫坐忘。
很好，让我也来向你学习吧！
抛开人为的礼乐、仁义，弃绝自我的观点，心无所系，把自己完全融入生活的每一个细节里。

子桑唱
贫穷之歌
子舆、子桑是好朋友。
有一次连下了几十天的雨，子舆带了饭盒去看子桑。
父亲啊！母亲啊！天啊！人啊！
你怎么了？
我病了。这几天我一直在想……
是谁使我这般穷困？是父母吗？是天地吗？
父母对我没有私心，天地对我更没有私心，那么我的贫困，必然是命吧！
人所无法选择的遭遇叫做命。你生下来是个王子？乞丐？这是人力无法决定的。人必须安命，以道为友。

海中凿河
肩吾去见狂接舆。狂接舆问道：
日中始对你说些什么呢？
他说：人君要用自己制定的法度仪轨，去治理天下，人民才会归顺感化。
那是假理，而不是真理，那样治天下，就像在海中凿河……
或是像叫蚊子背山一样，是不会成功的。
人为的法理只是「暂时的」使用，或过渡阶段的使用。如果要达到太平的理想，必须使用自然的法理，才是大道。

至人用心若镜
绝弃求名的心思；
绝弃策谋的智虑；
绝弃专断的行为；
绝弃智巧的作为。
体会无穷的大道，游心于寂静的境域，承受自然的本性，不自我矜夸，而达到空明的心境。
至人的用心有如镜子，任物的来去而不加迎送……
如实反映而无所隐藏，所以能够胜物而不被物所损伤。
至人把心当成镜子，事情来了完全反映，事情去了把心又成空。真切地品尝每一分每一秒。

浑沌之死
南海的帝王名叫倏，
北海的帝王名叫忽，
中央的帝王名叫浑沌。
倏和忽常常跑到浑沌住的地方去玩，浑沌对他们很好。
人都有七窍，用来看、听、吃、呼吸，而浑沌偏偏没有，我们何不把它凿开，作为礼物？
好啊！
倏和忽每天替浑沌开一窍，
每天开一窍……
七天后，浑沌就死了。
无为自然的本性，若被加上智巧、机巧等小聪明，本性将遭到破坏而死亡。

第六只手指
有的人天生有六个脚趾；
有的人天生有六只手指。
六个脚趾或六只手指，只要是天生的，便是自然的。
六只手指真奇妙，我也想要有六个脚趾或六只手指。
你这是过多的要求了。
自然所生下来的第六只手指，无所谓多，也无所谓少。但有心去求取第六只手指，便是贪多，贪多便不合自然了。

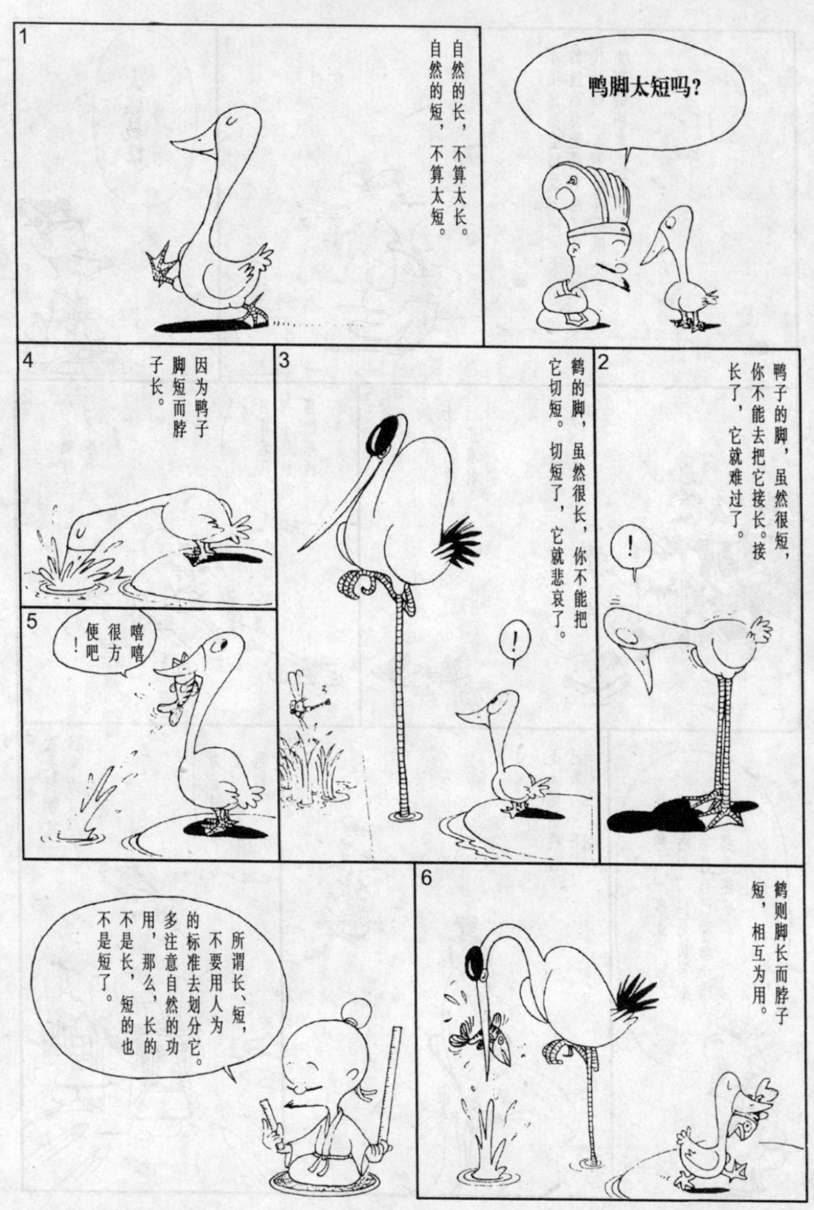

鸭脚太短吗?
1
自然的长，不算太长。自然的短，不算太短。
2
鸭子的脚，虽然很短，你不能去把它接长。接长了，它就难过了。
!
3
鹤的脚，虽然很长，你不能把它切短。切短了，它就悲哀了。
!
4
因为鸭子脚短而脖子长。
5
嘻嘻很方便吧!
6
鹤则脚长而脖子短，相互为用。
所谓长、短，不要用人为的标准去划分它。多注意自然的功用，那么，长的不是长，短的也不是短了。

大惑易性
小的迷惑会错乱方向，大的迷惑会错乱本性。自三代以后，天下没有不用外物来错乱本性的。
小人牺牲自己来求利；
名算老几？利才是最实惠的东西。
士人牺牲自己来求名；
大夫牺牲自己来为家；
为了国为了家，生命不足惜。
圣人则牺牲自己来为天下。
这几种人，事业不同，名号各异，但是伤害本性、牺牲自己却是一样的，都是迷惑。

牧羊人
丢了羊
臧和榖二人去牧羊，二人都丢了羊。
我的羊走失了！
我也是！
1
2
我在草地上看书，羊就走失了！
3
我在草地上和人赌博，羊就走失了！
4
臧和榖二人，所做的事不同，但是丢掉羊是一样的。
5
在世俗上，读书人为了名而丢掉性命。
小人为利而丢掉性命……
大夫为了保全国家而丢掉性命，圣人为了保全天下而丢掉性命。
6
虽然原因各异，但是伤害性命都是一样的。
不管假借什么理由，违背自然的法理，伤害性命，都是大迷惑。

伯乐的罪过
马蹄可以践踏霜雪，毛可以抵御风寒。
它吃草饮水，举起脚就能跳得很高，这是自然赋给马的本性。
如果替它筑个高台或华屋，对它是没什么用的。
但是，自从有了伯乐，情况就变了……
我最善于训练马！

他烧铁来烙马，修剪马毛，铲削马掌，在马身上烙印。
5
这样一来，马已经死掉十之二三了。
6
然后为了训练马的耐力，用饥、渴来磨练它。
7
为了调整马的速度，便时快时慢来控制它，用鞭子来催促它。
8
9
马受了这些折磨以后，又关在马厩里，失去了自由，马就死去一大半了。
无心作为，人民自然感化；清静不扰，人民自然正当。圣人治人，矫造礼乐仁义，于是虚伪狡诈也跟着出现了。

仁义之害
上古时代，人民居家非常满足，浑浑沌沌的，极端适意。
随随便便的，挺胸叠肚四出游散。
等到圣人矫造礼乐，来匡正天下人的形体，用仁义来教化天下人的心性；
于是，人民就开始矜夸自己，欺诈别人，竞争利益，无法禁止。
大道废，有仁义；智慧出，有大伪；上古的时候，人民诚实，不识不知，根本没有虚伪，何必需要仁义呢？

防盗术
世俗之人，为了防备小偷，把珠宝锁在箱子里，自以为是最聪明的防盗术。
小偷绝对开不了锁，不怕被偷了。
有个夜晚，来了一个大盗……
简直是替我打包嘛！
整个偷走，我还怕他锁得不牢靠呢！
他把珠宝箱背了就跑。一路上，大盗还惟恐箱子锁得不牢呢。
世俗的巧智，往往引来祸害而不自知。圣人制订礼法，本用以防盗制贼，却反被盗贼所窃去作为护身符了。

盗亦有道
盗跖是古代的大盗……
敢问大王……
我们盗也有「道」吗？
当然有！
做大盗的人，能预先猜出房间里的财物在哪里，叫做
「圣」
……金……
我先进去探路！
偷东西的时候，一马当先，叫做
「勇」
你们先走，我来断后！
偷完以后，最后才出来，叫做
「义」

今天手气不好，不能出去做案。
判断情况，能不能下手，叫做
「智」
一共二十两，每个人分五两。
把偷来的东西，分得很公平，叫做
「仁」
如果不能具备这五种道德，而想成为一个大盗是不可能的！
明白！
善人
善人得不到圣人之道，便不能成其为善人。
恶人
坏人得不到圣人之道，也不能成其为坏人。
但天下毕竟善人少，而坏人多，那么圣人之「道」对于天下，也就害多利少了。
……
道德，往往也会被坏人拿去做护身符，坏人如果不借用圣人的道德，可能还成不了大坏蛋啊。

楚王有一次大会天下诸侯，鲁国和赵国都献上美酒。
赵国的美酒
赵国的酒特别香醇，送给我一点好吗？
不行！
可恶！
楚国的酒吏生气了！就把赵国和鲁国献上的酒对调！
可恶！
大王！赵国故意献上劣酒！
鲁酒
赵酒
楚王回去后，就出兵围住了赵国的都城邯郸。
美酒虽然可以讨好人，却也可能惹下大祸！
酒

黄帝问道广成子
黄帝在位十九年，教化大行于天下。
这时候，他听说广成子已得大道，便亲自上山向广成子问道。
我想用天地的精气，调合阴阳二气，帮助五谷成熟，我想帮助百姓调养性情……
你想利用大道的精气助长万物，那反而是摧残他们了。用人的智力去改变人间事，只是揠苗助长而已，难道你不懂吗？
黄帝听了心如死灰，立刻退位，抛了天下，到荒野独居，清清静静地住了三个月……
我要怎样修身，才能长久？
大道一片浑沌，不明也不暗。
你不要用眼睛去看，不要用耳朵去听，不要用心去想，要形神抱元合一，无知无我，要顺应自然、参与自然，合而为一，便可长久。

自然的友
师法大自然的智慧的至人，他的教化，像……「形体和影子」的关系一样……
像……「声音和回音」的关系一样。有问必答，有感必应。
喂
喂
因为他的形体合一，他停止的时候，没有声音。
他行动的时候，没有痕迹。所以他可以把迷乱的世人，带回自然的大道。
认为有自我的形体的是三代以下的君子。
认为没有自我的形体的，才是自然的友伴。
无私无我，才合乎自然之道。因为，人的形体，是自然变化中的一种形式而已。如果便执为己有，那是私心的作用了。

黄帝遗失玄珠
黄帝来到赤水之北，登上昆仑山去游玩。
返回时，遗失了大道……
他令智慧去寻，却找不着，
让离朱用眼睛寻找，也找不到……

5
又叫声闻去找，也找不到……
6
无象！你去寻找吧。
是。
7
最后叫无象去找，才找到。
大道找到了。
8
奇妙啊！只有无象才能看到大道啊！
道不能用心智、眼睛、耳朵去获得，要无心无象才能找到大道。因为大道超越了眼、耳、鼻、口、舌、身、意的境界。

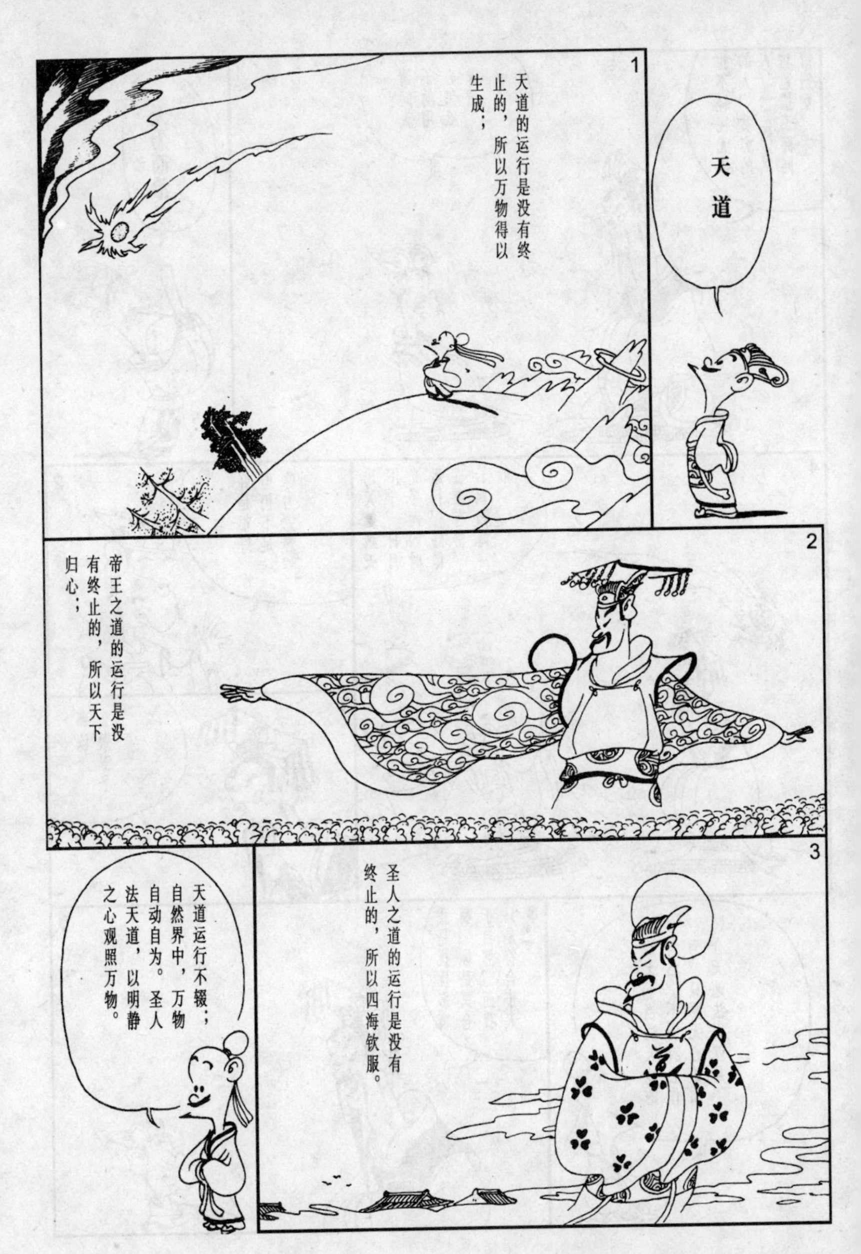
1
天道
天道的运行是没有终止的，所以万物得以生成；
2
帝王之道的运行是没有终止的，所以天下归心；
3
圣人之道的运行是没有终止的，所以四海钦服。
天道运行不辍；自然界中，万物自动自为。圣人法天道，以明静之心观照万物。

无为而治
请问天子的用心怎么样？
我不轻视无依的人、贫穷的人，悲悯死者，劝勉孺子而同情妇女。
好是很好，但仍不足称为完善。
那该怎么做呢？
出天德则天下宁，日月光照而四时运行，好像昼夜有常，云飘雨降一般。
我是扰扰多事啊！你是冥合于自然，而我只是符合于人事。
治天下当法天地的自然，不要有心作为，只要无心的顺合天地法则就是了。

桓公有一次在堂上读书，轮扁正在前堂做车轮。
做车轮的老人
请问你读的是什么书呢？
我读的是圣人的经典。
那作书的圣人还在吗？
早就死了！
那你所读的书，不过是古人的糟粕而已。
你说什么？你讲个道理给我听，如果你胡说八道我就把你处死！
大王暂请息怒……
我是做车轮的人，就请让我用做车轮的事做比喻吧。
做车轮的时候，刀子下得快，就省力气，但车轮不圆，下刀慢则费力气，但车轮圆。

8
做车轮最好的技术是，下刀不快不慢，得心应手。
9
但这不快不慢得心应手的功夫，我却不能传给我的儿子。所以我现在七十岁了，还在做车轮。
10
这样看来，古代圣人所得的大道不能传下来，不是很明显吗？所以你所读的书，不是古人的糟粕吗？……
方
圆
工匠只能教你方圆规矩，不能把修习的造诣传给你。教拳剑的师父，只能把招式传给你，不能把他的功夫传给你。读书的人，常以为书本上的文字很可贵，其实言外之意才可贵，会背书的人，不一定会读书，便是这个道理。

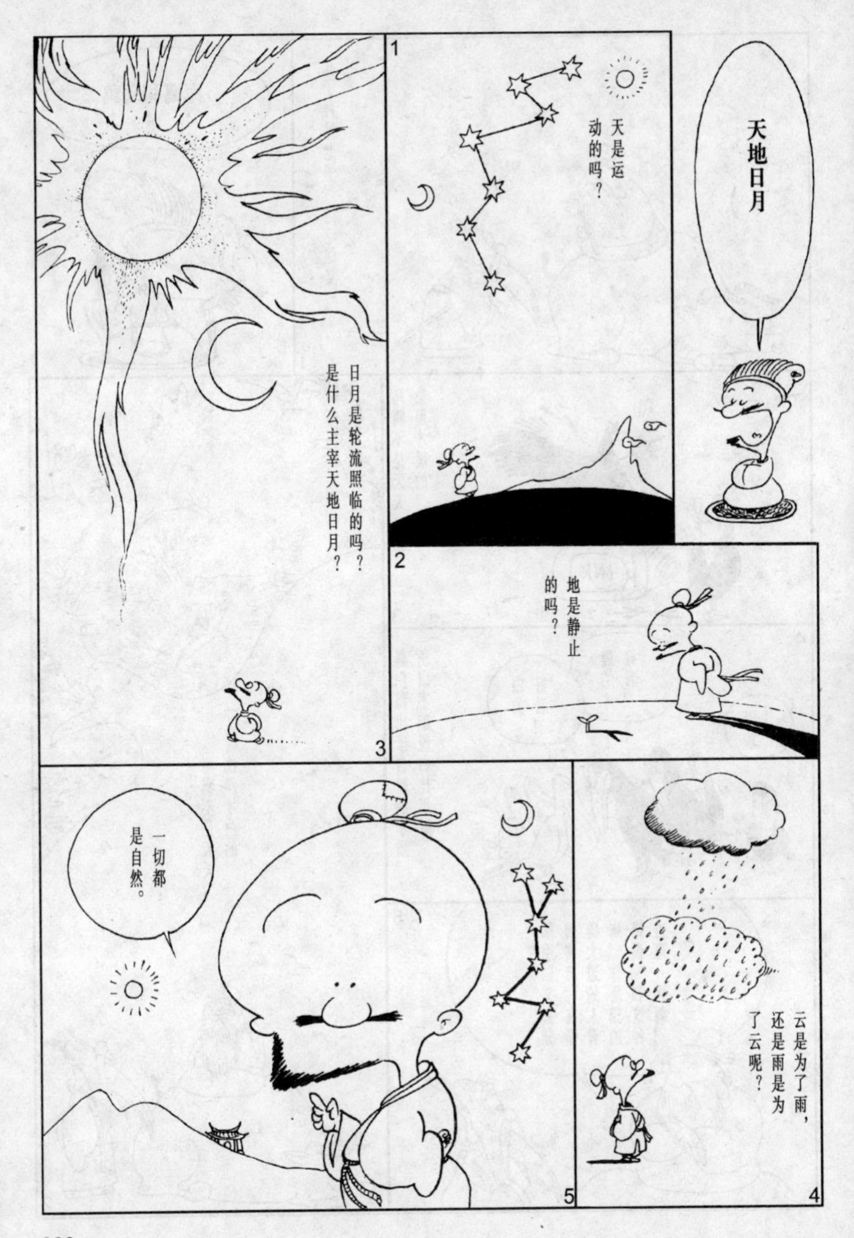
天地日月
天是运动的吗？
地是静止的吗？
日月是轮流照临的吗？是什么主宰天地日月？
云是为了雨，还是雨是为了云呢？
一切都是自然。

海鸥和乌鸦
孔子拜见老子，讨论仁义。
1
海鸥不是天天洗澡才白的。
2
乌鸦不是天天染黑才黑的。
INK
3
4
黑白都出于自然的本质。所以不能说白比黑好。
白的好看！
黑的才好看！
无聊！
5
你用仁义去分辨善恶，在懂得大道的人看来，你所犯的错误，和这种道理一样啊！

1
孔子见了老子，回去三天，不说一句话。
……
孔子看到龙
2
老师你去见老聃拿什么去教导他呢？
唉唉唉！
3
我看到龙啦，龙顺着阴阳变化无穷。我张着嘴巴，话都说不出来，哪里还谈得上教导他呢？
孔子认为老聃已得自然之道，变化无穷。面对一个得道的人，任何的话都是多余、不必要的。

1
无江海而闲
刻意高尚自己的行为，表示和世俗不同；议论唱高调，抨社会的黑暗，表示心中的不平，这是愤世嫉俗的人的做法。
2
提倡忠信仁义，恭俭推让，以便修养自己或教诲别人，这是游历各地，或在固定地方讲学的人的做法。
3
讲大功、立大名，定君臣上下的礼节，以治平天下。这是富国强兵，兼并土地的人的做法。

4
在山林有水草的地方，钓鱼闲散，为的是放下心里的羁绊，这是避世讨清闲的人的做法。
5
练深呼吸，习体操，学熊挂在树上，学鸟伸张头脚，这是磨炼身体，想要长寿的人的做法。
6
但是这些做法，都是伤害精神的。
7
有道的人不刻意而自然高尚。不依赖仁义而自然修身。不依赖功名而自然治天下。不依赖江海而自然悠闲。不依赖修炼而自然长寿。
世俗所依赖的意志、仁义、功名、江海、修炼，被认为是修身立业之道，但是对于明白道的人来看，这些都是累赘，都是枷锁。

养神贵精
形体劳苦不休息，
就会累坏……
精力用之不已，
就会疲劳枯竭……
譬如水的本性，不混
杂它就清，不搅动它
就平……
但若闭塞不流动，它
又会浊而不清这种静
静地随着自然的运用
就是自然现象。
所以说纯粹不杂，虚静专
一而不变动，淡泊无为，举
动都顺着天然，就是养神
之道。
精神如同干将莫邪宝
剑，藏在柜里不可轻
易动用。
普通人重利，廉洁的
人重名，贤人高尚意
志，圣人宝贵精神！

1
不住山林的隐士
古代所谓的隐士，并不是说藏身于山林就叫隐士。
2
隐士是获得大智慧的人，时机命运顺利，他就将大道行于天下……
3
时机命运都不利时，便隐藏智慧，与自然合一，而无迹可寻。
古来善保自身的，不用精明去点缀自己的智慧，不使机智去使天下人困苦，不使聪明多求无厌反累了自己的德。

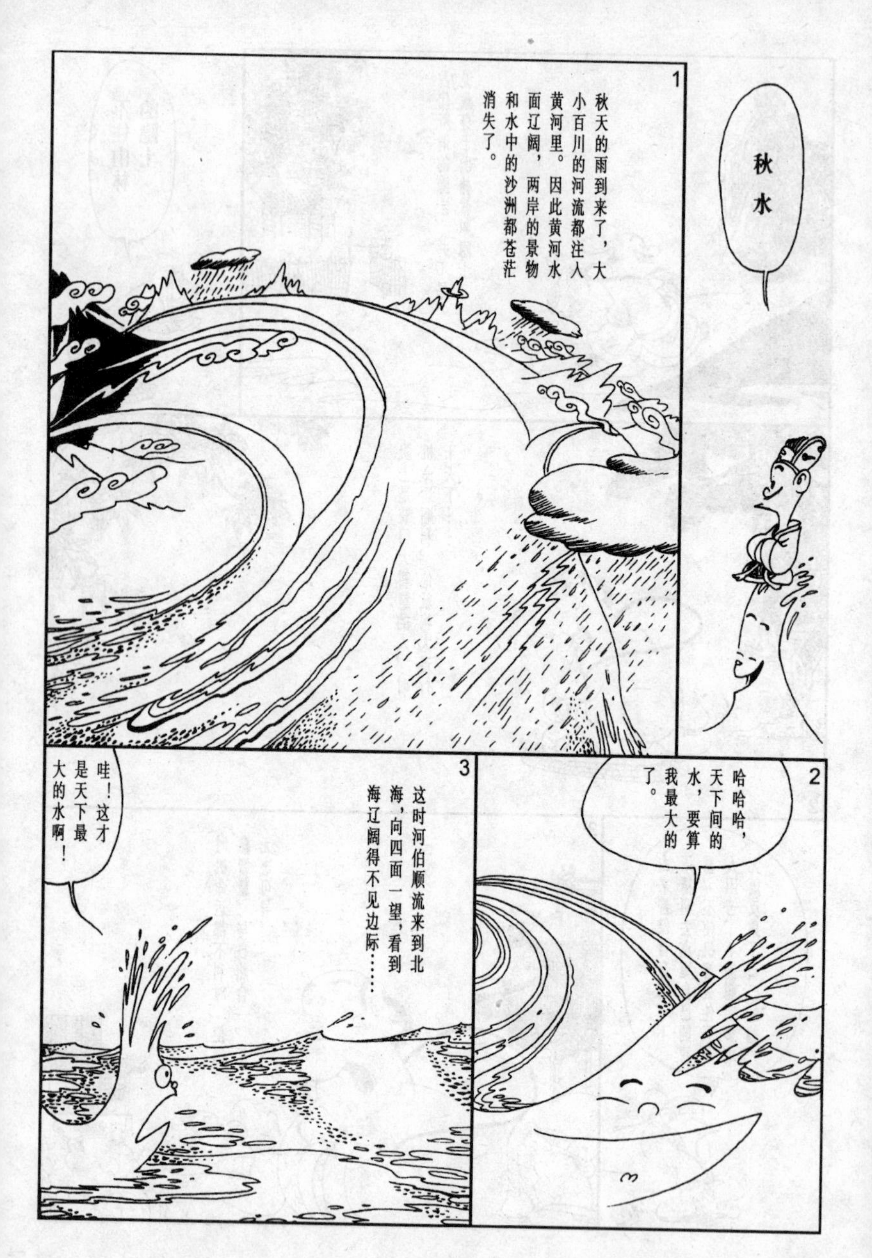
秋水
1
秋天的雨到来了，大小百川的河流都注入黄河里。因此黄河水面辽阔，两岸的景物和水中的沙洲都苍茫消失了。
2
哈哈哈，天下间的水，要算我最大的了。
3
这时河伯顺流来到北海，向四面一望，看到海辽阔得不见边际……
哇！这才是天下最大的水啊！

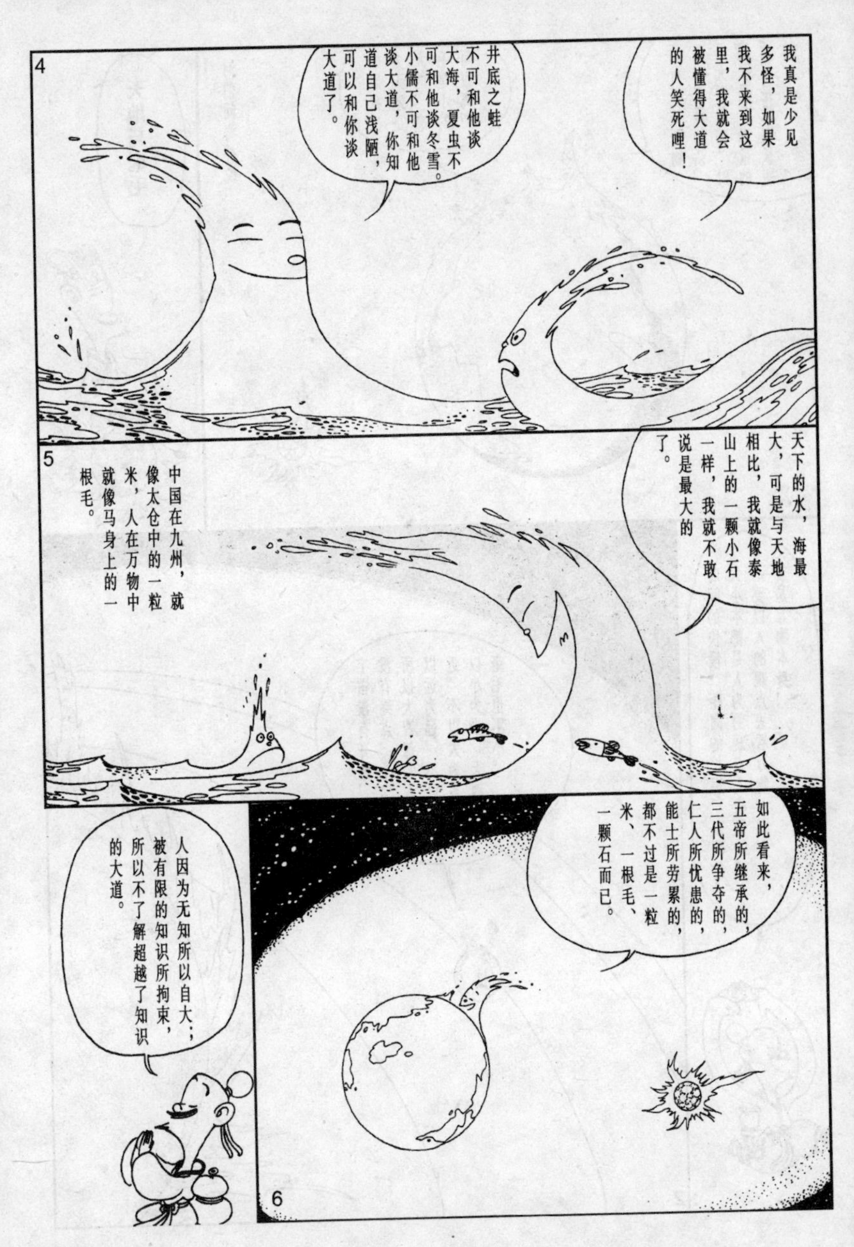
4
我真是少见多怪，如果我不来到这里，我就会被懂得大道的人笑死哩！
井底之蛙不可和他谈大海，夏虫不可和他谈冬雪。小儒不可和他谈大道，你知道自己浅陋，可以和你谈大道了。
5
天下的水，海最大，可是与天地相比，我就像泰山上的一颗小石一样，我就不敢说是最大的了。
中国在九州，就像太仓中的一粒米，人在万物中就像马身上的一根毛。
6
如此看来，五帝所继承的，三代所争夺的，仁人所忧患的，能士所劳累的，都不过是一粒米、一根毛、一颗石而已。
人因为无知所以自大；被有限的知识所拘束，所以不了解超越了知识的大道。

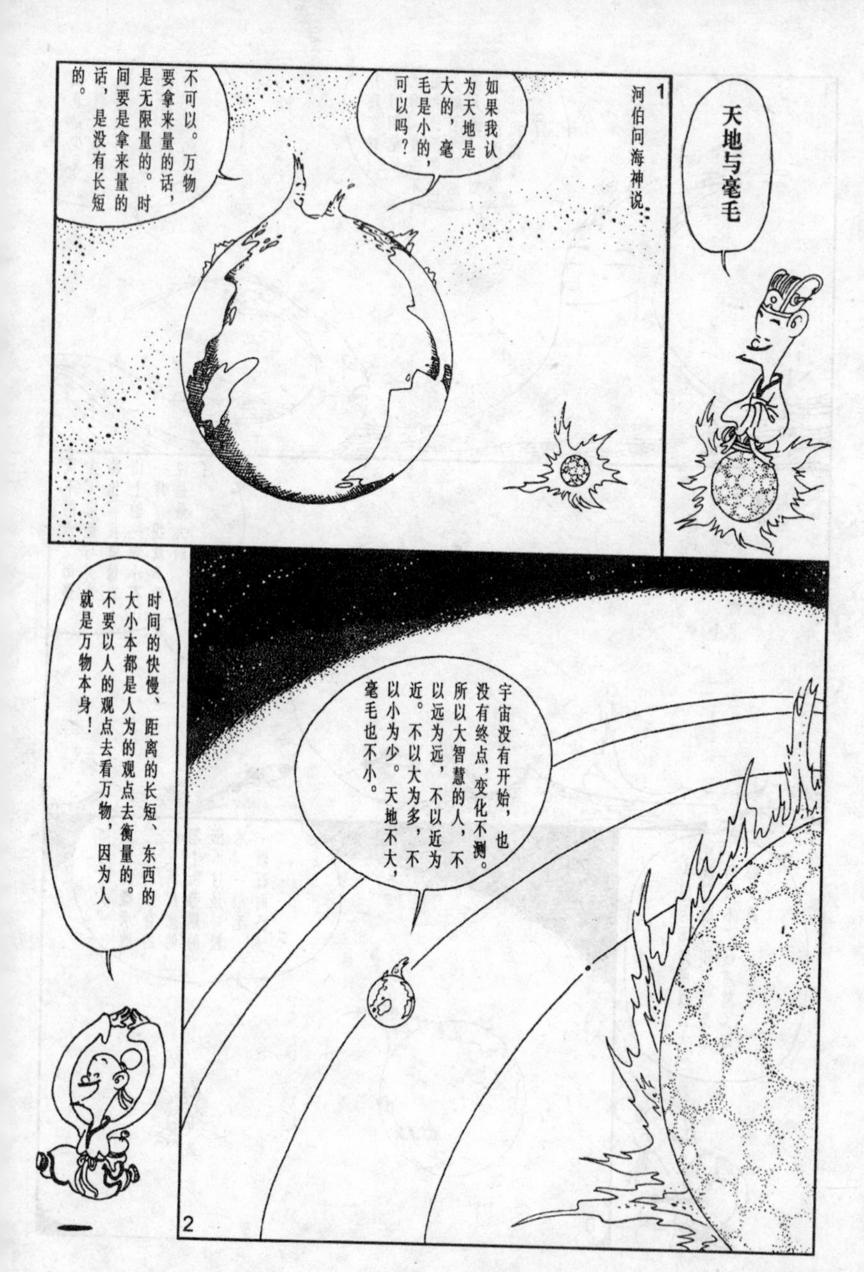

天地与毫毛
1
河伯问海神说：
如果我认为天地是大的，毫毛是小的，可以吗？
不可以。万物要拿来量的话，是无限量的。时间要是拿来量的话，是没有长短的。
2
宇宙没有开始，也没有终点，变化不测。所以大智慧的人，不以远为远，不以近为近。不以大为多，不以小为少。天地不大，毫毛也不小。
时间的快慢、距离的长短、东西的大小本都是人为的观点去衡量的。不要以人的观点去看万物，因为人就是万物本身！

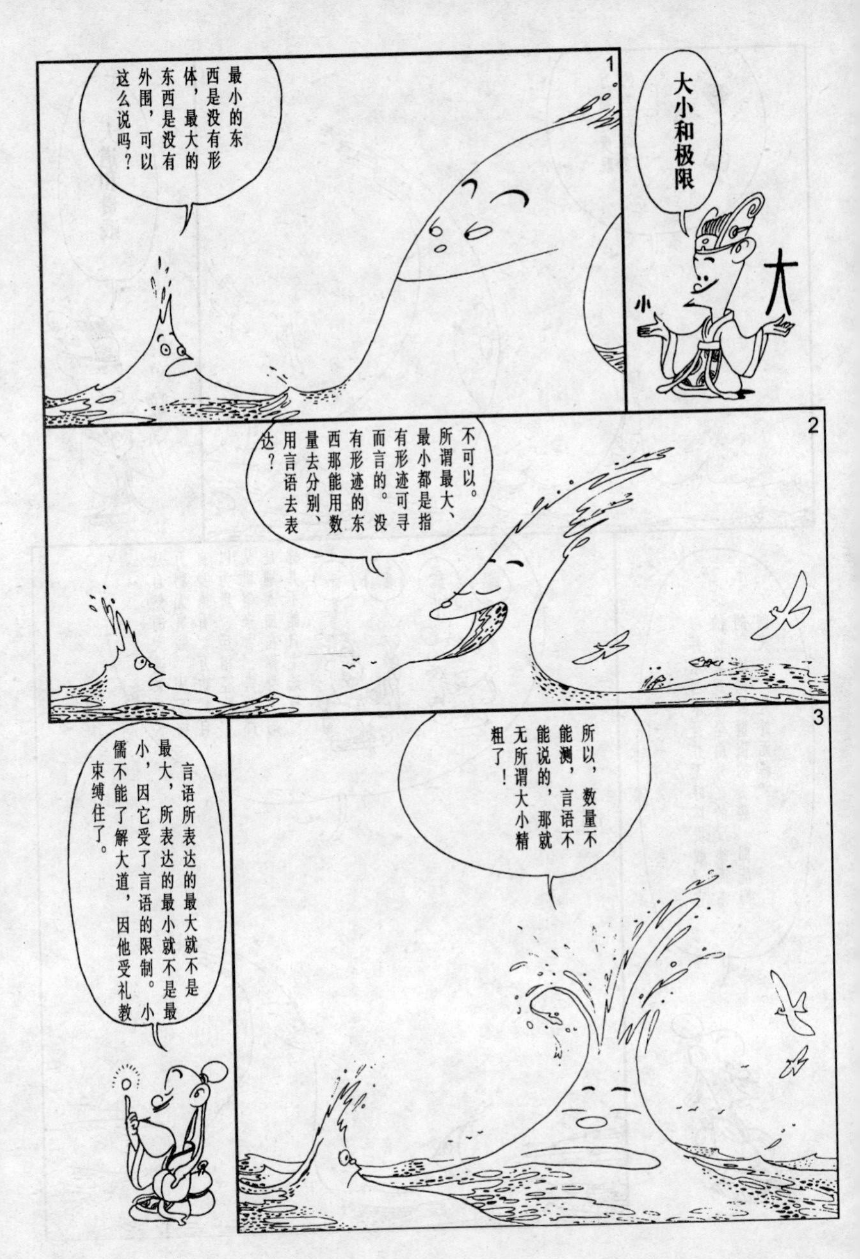
大小和极限
小
大
最小的东西是没有形体，最大的东西是没有外围，可以这么说吗？
不可以。所谓最大、最小都是指有形迹可寻而言的。没有形迹的东西那能用数量去分别、用言语去表达？
所以，数量不能测，言语不能说的，那就无所谓大小精粗了！
言语所表达的最大就不是最大，所表达的最小就不是最小，因它受了言语的限制。小儒不能了解大道，因他受礼教束缚住了。

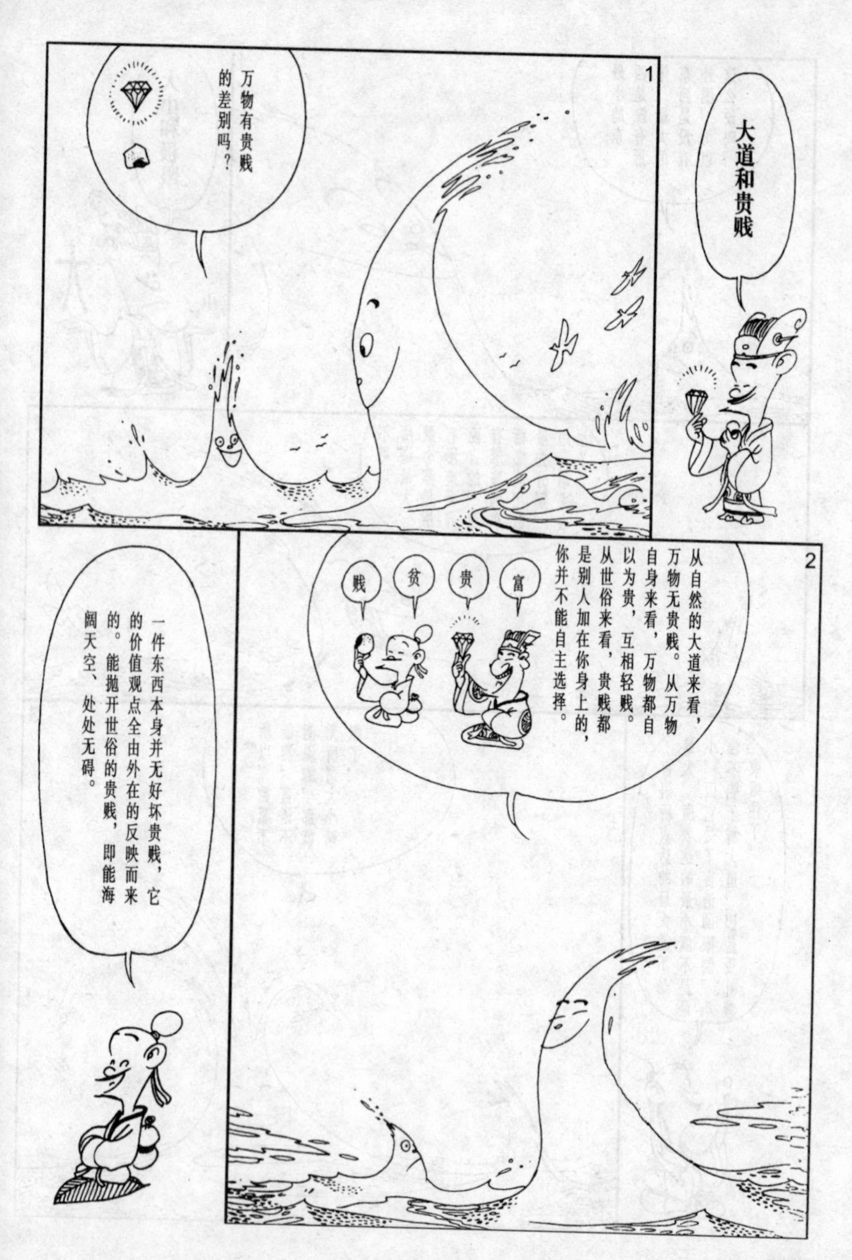
大道和贵贱
万物有贵贱的差别吗？
从自然的大道来看，万物无贵贱。从万物自身来看，万物都自以为贵，互相轻贱。从世俗来看，贵贱都是别人加在你身上的，你并不能自主选择。
富
贵
贫
贱
一件东西本身并无好坏贵贱，它的价值观点全由外在的反映而来的。能抛开世俗的贵贱，即能海阔天空、处处无碍。

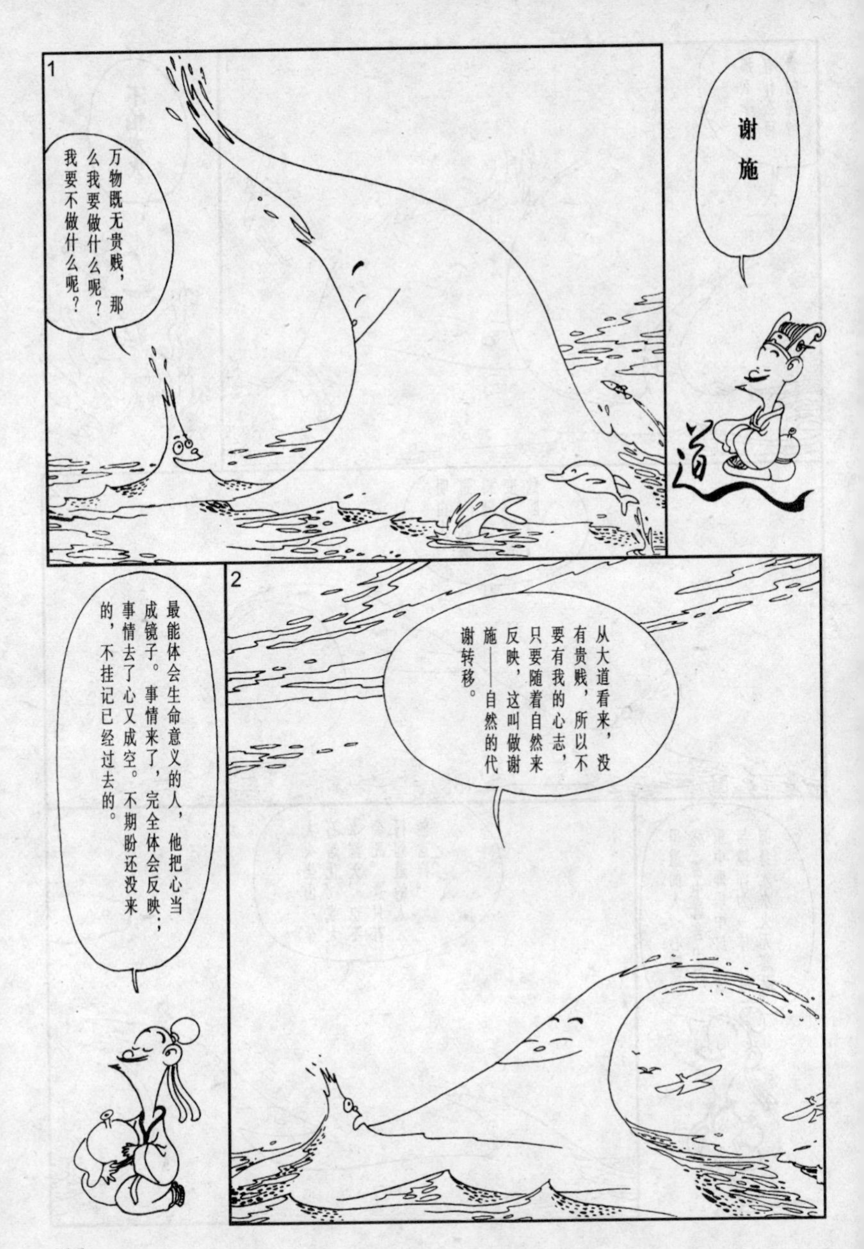
谢施
万物既无贵贱，那么我要做什么呢？我要不做什么呢？
从大道看来，没有贵贱，所以不要有我的心志，只要随着自然来反映，这叫做谢施——自然的代谢转移。
最能体会生命意义的人，他把心当成镜子。事情来了，完全体会反映；事情去了心又成空。不期盼还没来的，不挂记已经过去的。

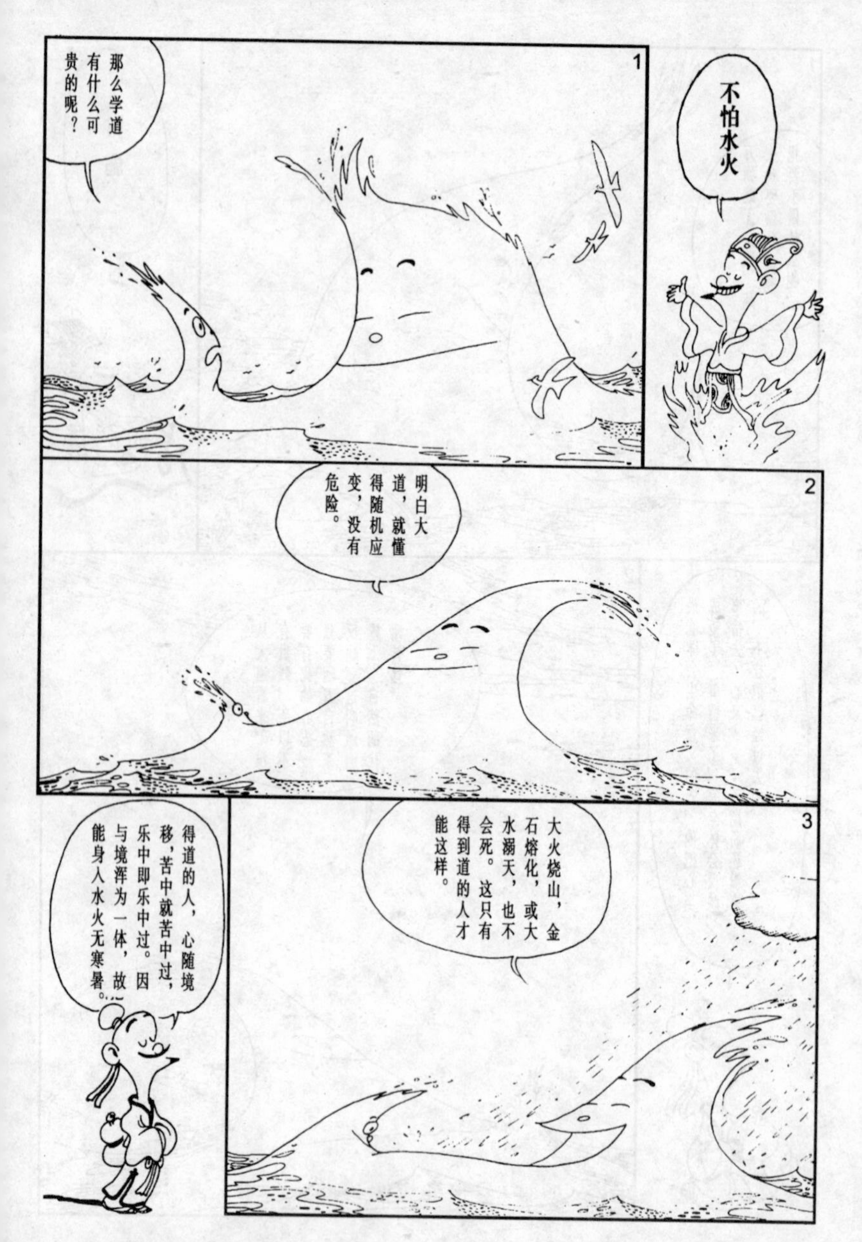

那么学道有什么可贵的呢？
不怕水火
明白大道，就懂得随机应变，没有危险。
大火烧山，金石熔化，或大水溺天，也不会死。这只有得到道的人才能这样。
得道的人，心随境移，苦中就苦中过，乐中即乐中过。因与境浑为一体，故能身入水火无寒暑。

河伯问海神说：
什么叫自然？什么叫人为？
不要穿牛鼻
牛马各有四只脚，这叫自然。
把马头套上辔衔，
把牛鼻穿上缰绳，这叫人为。
人为的知识、道德、法制，都是违背自然，就像「穿牛鼻络马首」。

风和蛇
夔是一种独脚兽。
蚿是一种百足虫。
我用一只脚走路，再方便不过了，你用那么多脚怎么个走法啊？
我顺着自然的安排来走路，一点也不费心呀！
!
我用好多脚走路，还不如你没有脚走得快，为什么呢？
我是顺着自然的天机来运动的，哪需要用得着脚呢？

8
「风」连个形体都没有，而可来去自如，才厉害呢！
9
我是走得很快，可是「眼睛」比我更厉害呢！
「眼睛」看到哪里，就已经到哪里了！
「心」更是不得了。心想到哪里就已经到哪里了。
10
可是我却能拔大树，倒大屋，这就是我。
11
自然的用处，各有其妙用，而无大小之分。

圣人的勇气
孔子周游来到匡，匡人误以为孔子是叫做阳虎的恶人。于是就把他包围起来。
大家不要怕，继续听我讲道。
老师怎么一点都不害怕呢？
是的，仲由，我告诉你吧！
在水中不怕蛟龙是渔人的勇气。

5
在山中不怕猛虎，是猎人的勇气。
6
在战场不怕刀剑，是烈士的勇气。
来吧！
7
知道命运有穷通，面临大难而不恐惧，这是圣人的勇气。
8
不久，有个领头武士进来道歉，就解围去了。
对不起，我们误会以为你是阳虎。
时运有穷、有通，穷时要以智慧观察，静以待变。

井底之蛙
东海的一只大甲鱼，偶然爬过一口井边。
1
稀客稀客，请进来坐。
2
你在井里过得舒服吗？
3
我独霸一口井，像是一个国王一样，怎会不舒服？
4
我一跳到井里，水就来扶着我的两腋，托着我的腮帮子。
5
我一钻入水底，泥巴就赶快来按摩我的脚。
6

7
!
到了晚上，我不想待在水底了，我就跳上来。
8
卧在井边的缺口上做一些奇怪的梦。
9
天亮了，就在井边四周散步，我每天都这样的快乐。
10
可是我看到井里的一些小螃蟹、小蝌蚪，他们就没有我快乐了。
11
怎么样？进去参观参观吧。
12
你的井太小了，我进不去。
这么大的井，怎么会小呢？

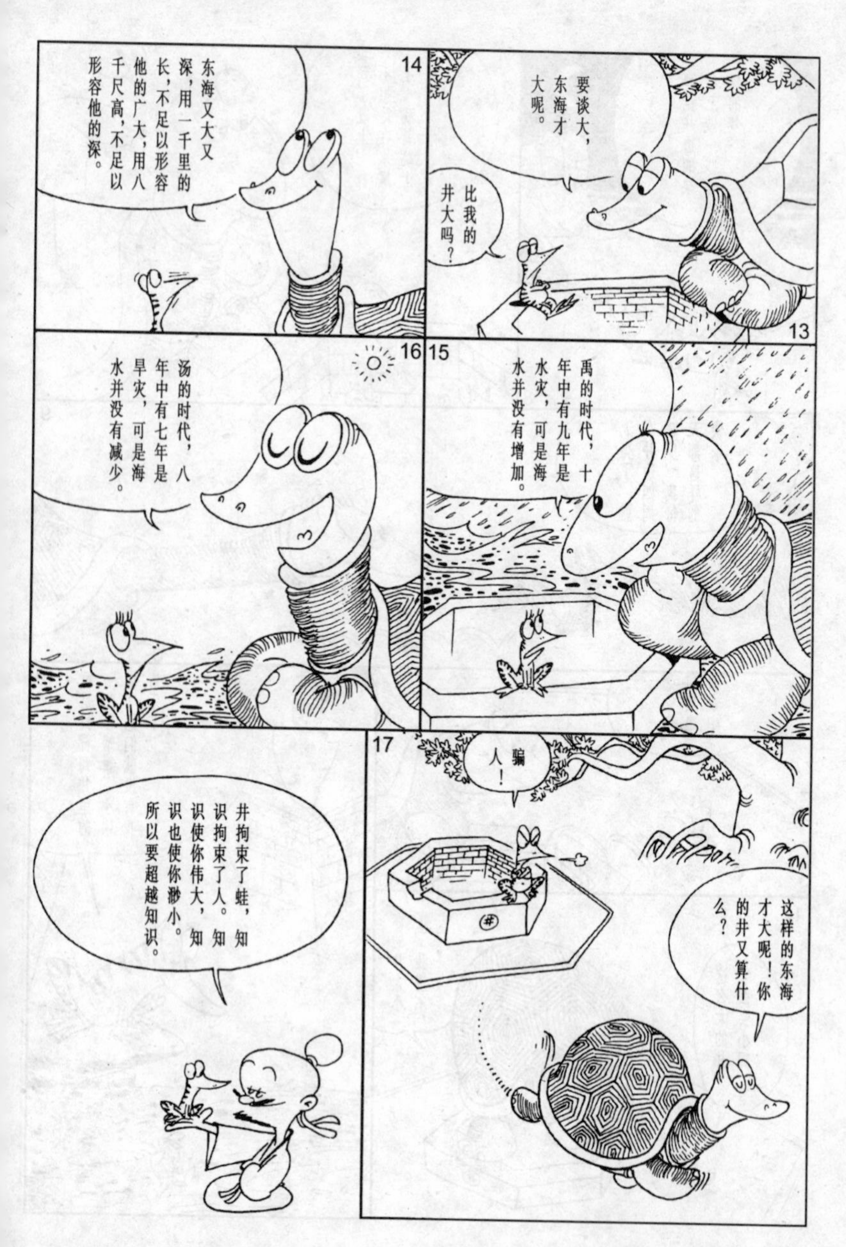
13
要谈大，东海才大呢。
比我的井大吗？
14
东海又大又深，用一千里的长，不足以形容他的广大，用八千尺高，不足以形容他的深。
15
禹的时代，十年中有九年是水灾，可是海水并没有增加。
16
汤的时代，八年中有七年是旱灾，可是海水并没有减少。
17
这样的东海才大呢！你的井又算什么？
骗人！
井
井拘束了蛙，知识拘束了人。知识使你伟大，知识也使你渺小。所以要超越知识。

邯郸学步
1
燕国的一个小孩，到赵国的都城邯郸去学习邯郸人的步法！
2
?
3
但是，他非但没有学会邯郸人的步法，反而把自己原来走路的步法忘掉了。
4
哇！我不会走路了！
5
因此，他只好爬着回家。
读书的人原来为了追求大道恢复自然的本性，但是久而久之，就迷失在书城里面，走都走不出来了。

污泥中的龟
1
庄子正在濮水上钓鱼，有两个楚王的使者来拜访。
我们的大王想把国事托付给你，先生愿意下山吗？
2
我听说楚国有一只神龟，死了三千年了，它的骨头还被放在宗庙里做占卜用。你说，它宁愿送了性命，留下骨头让人尊贵好呢？
3
还是宁愿活着在烂泥巴里打滚好呢？
4
它一定愿意在烂泥巴里打滚！
5
你们回去吧。我也是愿意拖着尾巴在烂泥中打滚。
！
为了世俗的尊贵、权力而丧失自己的本性，就是大迷惑。

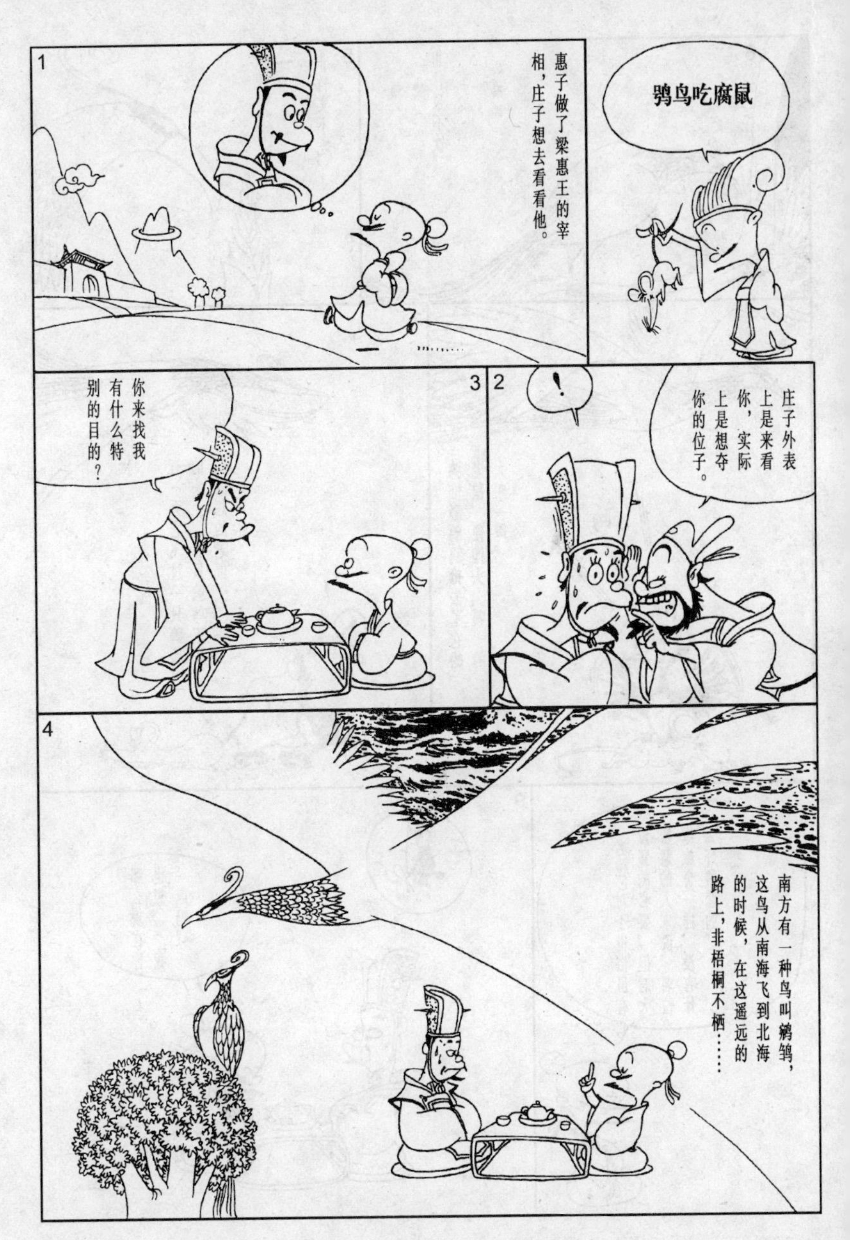
鸮鸟吃腐鼠
1
惠子做了梁惠王的宰相，庄子想去看看他。
2
庄子外表上是来看你，实际上是想夺你的位子。
!
3
你来找我有什么特别的目的？
4
南方有一种鸟叫鹓鸰，这鸟从南海飞到北海的时候，在这遥远的路上，非梧桐不栖……

5
非竹实不吃，
6
非甘泉不饮。
7
有一天它飞过一只鹗鸟的头上，那只鹗鸟正在吃腐烂的老鼠。
8
鹗惟恐鹓鸰抢去了它的老鼠，便仰头「嗄」的大叫一声。
嗄
9
那么现在你也想「嗄」我一声吗？
「名位」对于世俗虽有设置的必要，但对大智慧的人来说，名位像旅舍一样，没有什么好留恋的。

1
浪里的鱼悠游自得，这就是鱼的快乐？
子非鱼
安知鱼之乐
2
你又不是鱼，你怎么知道鱼是快乐的呢？
3
！
你不是我，怎么知道我不知道鱼的快乐呢？
4
我不是你，当然不会知道你了，但你不是鱼，你不会知道鱼的快乐这就可以肯定了。
5
⋮⋮⋮
当你问我「你怎么知道鱼的快乐呢？」这句话时，你便已知道我知道鱼是快乐的！
惠子是理性的求证、推理，但当他应用他的知识去推理、求证时，已经不知不觉忽略了更多的东西了。

至乐
天下究竟有没有最真的快乐？有没有保存生命的方法？答案是有！
只是世人不知如何取舍罢了！他们不知道自己在做什么？依据什么？保守什么？迁就什么？离开什么？喜欢什么？厌恶什么？
一般人所赞美的是：长寿、富贵和幸运。
所喜欢的是：身体的安适、饭食的合口、装饰的华丽、色欲的满足、音乐的悦耳。

5
所厌恶的是：穷困、卑贱、死亡、疾病。
贫
贱
死
病
6
所引为忧苦的是：身体不得安逸、口腹不得美味、没有美丽的服装点缀容貌、没有美丽的颜色看、没有动人的音乐听。
7
世人若得不到这些形体上的满足，就忧愁不定。像这样的为形体，不是太愚蠢了吗？
世俗所追求的只是形体的享乐；学道者所追求的是精神的愉快。形体上的享乐伤身损性，精神上的快乐才是至乐。

庄子鼓盆
庄子的妻子死了，惠子前往问候，见庄子敲着瓦盆唱歌。
你的妻为照顾家庭子女，如今年老去世，你不但不哭还敲瓦盆唱歌，真是过分！
你且听我说，我的妻刚死时我哪能完全没有感触呢？
但后来一想：人本来是没有生命，连形体也没有，连气也没有……

在若有若无之间的自然变化中，忽然有了气，气变化而有形体，形体变化而有了生命。
5
6
现在我的妻变化去世，就像春夏秋冬一样的自然。
7
她已安息在大自然的卧室里，如果我还大哭大闹，那我就不通达自然的命理了。所以我不哭。
生命的意义是在于顺应每一个过程，幼年时幼年过，成年时成年过，老年时老年过，该生时生，该死时死。

柳生左肘
支离叔和滑介叔一起到昆仑山去观看自然的变化。
哈哈哈
啊！你的左肘上长出一个瘤了！
怎么样？你心里不安吗？讨厌它吗？
我怎会讨厌它呢？生命形体只是大自然偶然的聚合罢了。一个瘤就像一粒灰尘落在我身上一样。
况且你我来昆仑，是想观看大自然变化的，现在变化偶然降临到我身上，我又怎会动心呢！
生命是时时刻刻在变化的，心境应随着变化运行，不要以昨日的心来看今日的变化。

庄子梦见骷髅
庄子到楚国去，半路上看见一具骷髅……
你是贪心而死的吗？你是亡国的时候被刀剑砍死的吗？你是做了坏事连累父母而自杀的吗？
你是饿死的吗？你是冻死的吗？或是你的春秋已尽，自然的躺在这里的呢？
天色已暗，庄子就以骷髅为枕躺下睡着了。
听你白天所讲的话，你好像是一个辩士。
!

6
你刚才所说的那些都是人生的累赘，死后就没有这些了。
7
死后，没有君，没有臣，也没有春夏秋冬。舒舒服服地和天地在一起。
8
天地的春秋便是我的春秋。这种快乐就算南面王也不能相比的。
9
我不相信死后有那么舒服。我叫司命之神让你复活。
10
还你父母妻子，把你送回你的家乡，你要不要？
11
哇！我不要我不要！
死是自然的大限。死后到底怎样？要用自然之理去想想，不用贪生怕死。

海鸟不爱音乐
有一只硕大的海鸟叫做爰居，头高八尺，羽毛灿丽，像是只大凤凰。
爰居飞到都城郊外。
立刻派人把它接到太庙来。
为了欢迎爰居飞来，要奏九韶乐章。
要准备最好的酒，最好的肉来养它。
这是我国最好听的音乐，好听吗？

5
这些肉都是给你吃的，吃啊！
6
这是鲁国最好的酒，喝吧！
来！干一杯！
7
过了三天，爱居不吃也不喝，结果死掉了。
8
为什么你不吃呢？我什么都给你最好的啊！
人认为最好的音乐、食物并不是绝对的。以鸟养鸟而不要以己养鸟，「己之所欲，施之于人」这往往是行不通的。

列子在山路行走，看到草地里有一个骷髅。
人不生不灭
朋友！只有你和我知道你没有生、也没有死过。
你现在是痛苦的吗？我现在是快乐的吗？
生死只是一个观念，生就是不断的变化，不肯顺自然运行的人与死无异。

至人之境
至德的人神妙极了！山林焚烧，都不能使他感觉热；
江河冰冻，都不能使他感觉到冷；
震破了山的大雷和撼动了海的大风，都不能使他惊惧。
他驾御着云气，乘骑着日月，游散于四海以外。
和大自然的变化合为一体，所以生死变化都和他无关，何况利害之端，更不放在他的心上了。
世间无绝对的是非，所以外来的事物不能累他。既因任自然，超脱于世物以外，没有死生，所以利害更不足介意了。

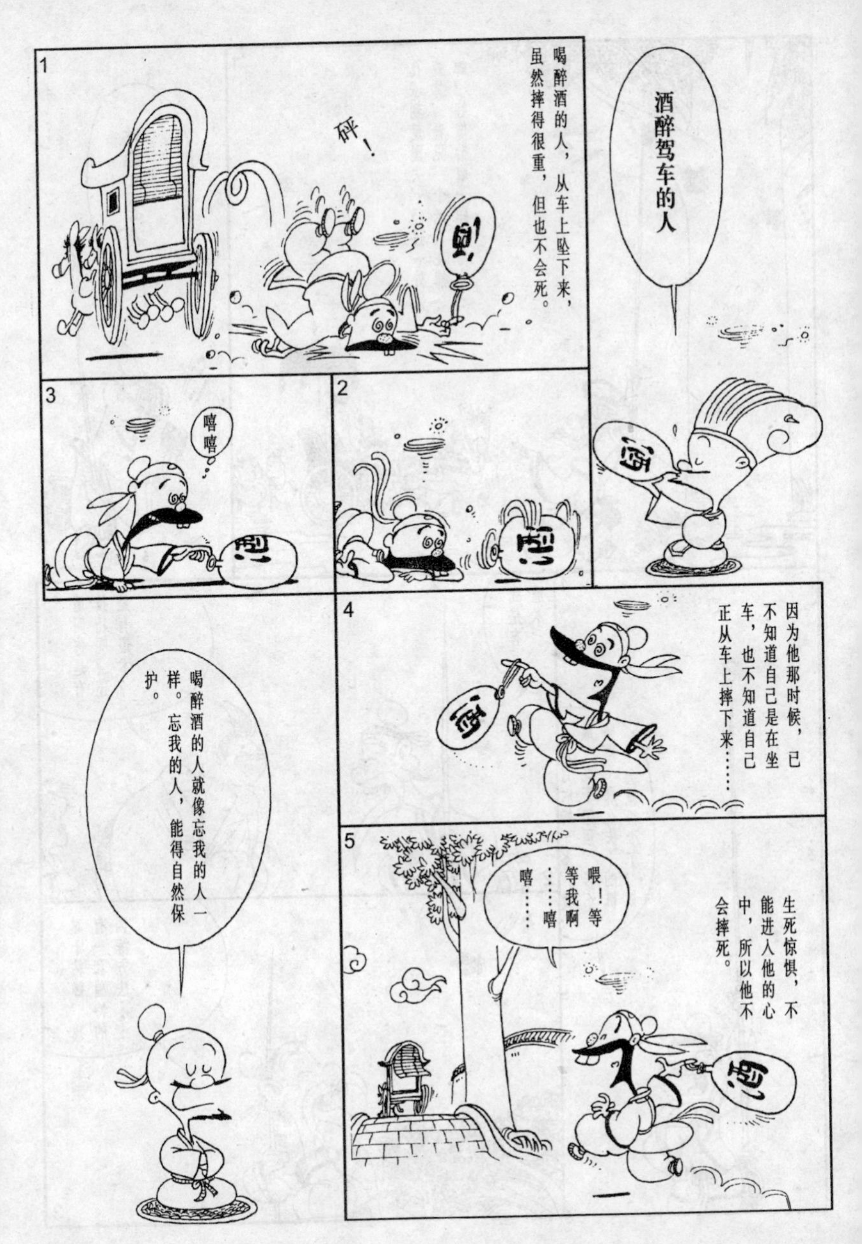

酒醉驾车的人
喝醉酒的人，从车上坠下来，虽然摔得很重，但也不会死。
砰！
嘻嘻
因为他那时候，已不知道自己是在坐车，也不知道自己正从车上摔下来……
生死惊惧，不能进入他的心中，所以他不会摔死。
喂！等等我啊……嘻嘻……
喝醉酒的人就像忘我的人一样。忘我的人，能得自然保护。

粘蝉的老人
孔子到楚国去，经过一处森林，看见一个老人在捕蝉，好像拾取一样容易……
请问你是有技巧呢？还是有道术？
我是有道术。
对于粘蝉，我有一套独特的训练方法……
五六月时蝉正多，我放二丸于竿顶，若不坠落，那么失手的机会就很少了；

5
放置三丸于竿顶，若不坠落，那么失手的机会只有十分之一；
6
放置五丸于竿顶而不坠落，我粘蝉就像用手去拿一样容易了。
7
我捉蝉时，身体像树木一样的动也不动，我手拿着长竿，也像枯枝一样动也不动……
8
这时，虽然天地之广、万物之多，我却只知道天下有蝉翼而已，无任何东西足以取代我心目中的蝉翼，所以捉蝉哪会捉不到呢？
9
学生们！你们注意啊，心意不杂，就可以通神了。
善射者，无弓无箭、无我无他、心志专一于对象上，物我浑为一体，万象入心、也无动于心，便能达到最精妙的境地。

1
操舟如神
颜渊问孔子说：
我曾在觞深渊过渡，看见摆渡的人操舟如神。
操舟可以学习吗？
可以，会游泳的很快就学会。
2
至于会潜水的人，即使没有见过船，他也会操驶。
3
我再问他，他不告诉我，请问这是怎么说的呢？
会游泳的很快就学会，这是因为他无存心于水。
4

会潜水的人没见过船便能操驶，是因他视深渊如平地，视船的覆没如车的倒退。
覆没倒退也不会搅乱他的心，于是他就能从容闲暇地操作了！
用瓦片做赌注，射箭的人，心无牵挂就射得很巧妙。
用带钩做赌注，射箭的人心中就会恐惧，技巧就差了。用黄金做赌注，心中负担沉重，就完全失去技巧了。
其实射箭的人技巧还是一样，但因有所顾惜，便重视外物。凡重视外物的，内心就昏拙。
善泳者忘水，神暇专一，故能进退无碍；心被外物所累，心有牵挂，便失其灵巧了，所以说「平常心是道」！

祭盘上的牺牲
祭祀官穿着朝服到猪栏，对猪说：
你们何必怕死呢？我用上好的饲料喂你们三个月，然后我十天戒，三天斋……
最后把你们放上神圣的祭盘，这样你们还认为不够光彩吗？
过一会，祭祀官又倒过来替猪想想……
到底还是不如吃糟糠，活在猪栏里的好啊！
人既然会替猪打算，为何却偏偏为追荣华、逐权位而去做祭盘上的牺牲品呢？

瀑布下游泳的人
孔子来到龙门瀑布，见瀑布高悬二万四千尺，浪花直冲四十里，不觉看得出神。
啊！有人跳水自杀了。
快下去救他起来！
是游泳，不是自杀呀！
游水不怕急流，这也有道吗？
我也没什么道。只是我在水中习而成性，出入波涛自由自在，如此而已。

梓庆做钟架
梓庆做了一个钟架，完全没有斧凿的痕迹，鲁侯便问道：
你这是什么技术？已到化境了吗？
我做钟架前，先保全元气，再斋戒三天，不敢存有受赏的念头。
再斋戒五天，不敢有巧拙的念头。
再斋戒七天，忘了我自己的形体。
然后我才走入山林，观察有没有天然的钟架。
如果形质不合用，我就不动手施工。我做钟架所以合于自然，不见斧痕，大概就是这缘故吧！
梓庆顺理以合自然，所做钟架便如同天生而成，没有人工的痕迹。

东野稷盘马
东野稷善于驾御马车，有次，他驾了庄公的马车盘马数百圈。
颜阖看了叹气道：
东野稷的马就要出事了。
会吗？
东野稷盘马倒在地上了。
你怎么知道东野稷的马会出事？
马的精力是有限的。我看他拼命训练马的耐力，已经过了限度，所以知道那马必倒无疑。
刻意的作为，往往过度的消耗元神而不自知，最后的结果一定是力竭败亡。

工倕的手指
工倕的手指和工具合而为一，不必用心去做，就能画出方圆。
1
2
忘了脚的人，鞋子对他自然很舒适。
3
忘了腰的人，束带对他自然很舒适。
4
忘了是非的人，他的心自然很舒适。
5
忘了舒适的人，那是真舒适了。
心不要强求专一，不要强求与外物契合，才是合乎自然之道。

浮游于道德
道德……
庄子走在山路上，看见几棵巨大的树，枝叶茂盛，但是伐木的木匠没有人去砍伐。
为什么不砍这几棵树？
这些树就是因为没有用所以才能长得这么高大啊！
庄子下了山以后就到一个朋友家拜访。
去杀一只鹅来下酒吧！
我们家的鹅一只会叫，一只不会叫，杀哪一只好呢？
就杀那一只不会叫的好了。
！
是！
嘎
！
……
……
……
不明白啊……
想不通……
……

7
没有用的树……
没有用的鹅……
昨天那山中的巨木因为无用而终其天年。而今天这只鹅却因为无用而被杀了……请问老师做人到底应该如何自处？
8
我将处于无用和有用之间啊……不过在实际上，处于有用和无用之间，还是要受累赘的。
有用
無用
9
所以，只有顺应变化，无所谓无用，无所谓有用……
人世的道德，都是相对的，所谓有用和无用也就是相对的，所以大智慧者要超越相对的道德。
有用的人！
无用的人！
10
乘道德（自然之道）而浮游，才能免于困顿啊！
自然之道

甘泉先竭
1
孔子周游列国，被困于陈蔡之间，七十天没有炊饭。
2
脱困之后，大公任前往问候。
……
3
你这次差一点遇害了吧？
是啊……
4
我以前不是对你说过免害的道理吗？东海有一只鸟，叫做意怠。这只鸟看来好像没有什么本事，当飞行的时候，它要人家带头……

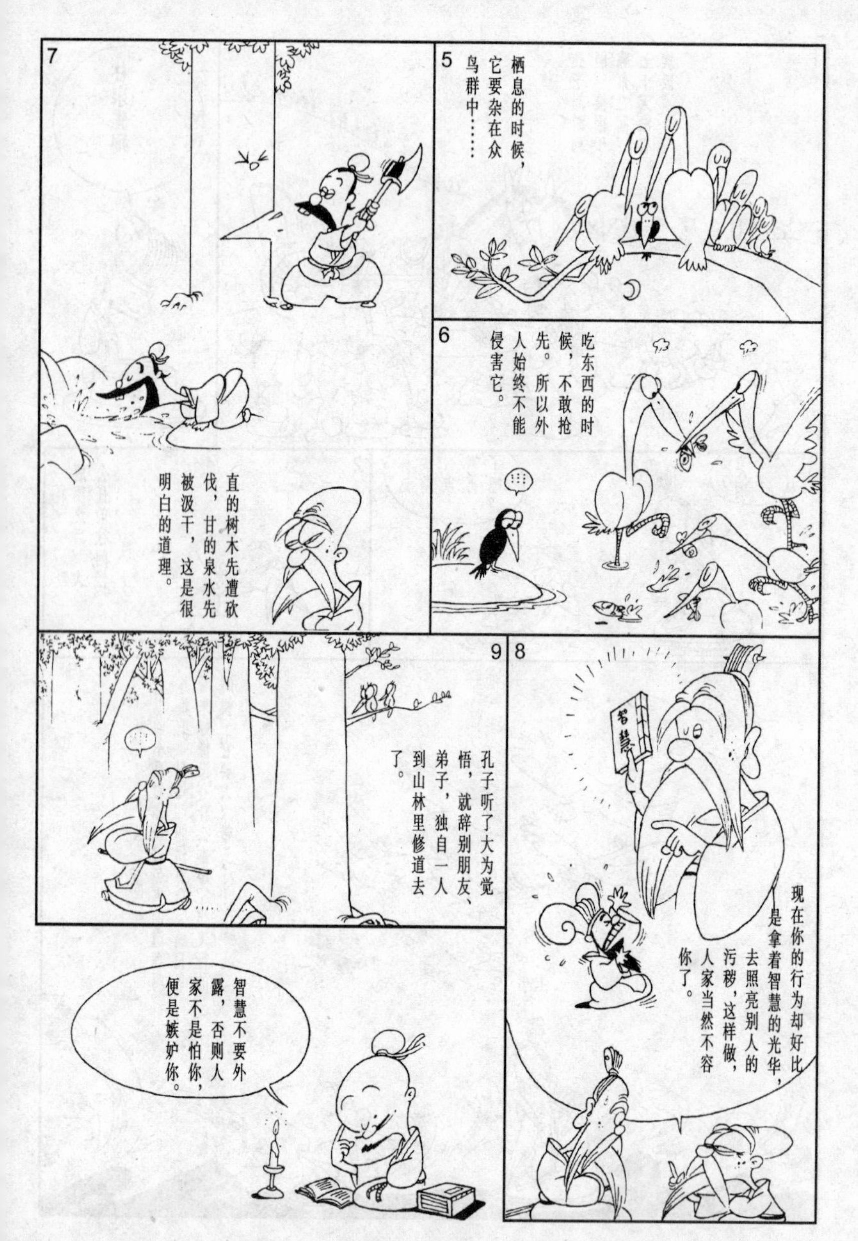

栖息的时候，它要杂在众鸟群中……
吃东西的时候，不敢抢先。所以外人始终不能侵害它。
直的树木先遭砍伐，甘的泉水先被汲干，这是很明白的道理。
智慧
现在你的行为却好比是拿着智慧的光华，去照亮别人的污秽，这样做，人家当然不容你了。
智慧不要外露，否则人家不是怕你，便是嫉妒你。
孔子听了大为觉悟，就辞别朋友、弟子，独自一人到山林里修道去了。

林回弃璧
假国灭亡的时候……
快逃，快逃……国家灭亡了！
!
不要拿了，快逃！
林回抛弃了家藏的连城璧，带着小孩逃亡了。
以利害相结合的必以利害而分散。乱世怀着连城璧，只有增加危险，而父子是天性至亲，自然不能弃之不顾。

燕子结巢梁上
燕子是一种有智慧的鸟啊！他眼睛看到不应该去的地方，就不去。
他衔着的果实掉在地上，便弃去飞走了。
他本来是怕人的，却结巢在人间，终于没有人去害他。
这便是处世的大智慧啊！
鸟都怕人，所以巢居深山、高树以免害。燕子是特别的，他就住在人家的屋梁上。想想看他有什么避害的道理呢？

庄子在荆棘中
1
庄子穿着布衣草鞋，去见魏王。
先生你怎么这般困苦啊？
2
这是贫穷而不是困苦啊！有大智慧而不能化行天下，这才是困苦啊！
3
你看猿猴在楠梓树上，盘旋跳跃惟我独尊，后羿对他也没有什么办法。
吱吱
4
但是在荆棘丛中，猿猴便小心翼翼不敢乱跑乱跳了。……
5
而我现在就是生不逢时，处在荆棘丛中啊！
命有穷通，处乱世应当安守贫穷，若不安守困苦，就要遭杀身之祸。

螳螂捕蝉
老师，你为什么不高兴？
人都是见利而忘害啊……
昨天我到栗园游玩……
可恶……
这时看到一只蝉高歌鸣唱，自以为很安全……
!

不知道后面有一只螳螂正要吃他……
嘻嘻……
螳螂一心想吃蝉，却也没有注意，后面的黄雀正趁机想吃螳螂呢！
你想偷栗子是不是？
我在栗园守候黄雀，也忘了自己的危险，结果被人误会在偷栗子，真是受气。
追逐外物，往往只看到前面的利益，而疏忽了身后的危险。

1
鲁国只有一个儒者
庄子见鲁哀公，谈他的道术。
我鲁国的人都修儒术，没有什么人修你的道术呀！
2
鲁国的儒者很少呀！
3
你没看全鲁国的人都穿儒服吗？怎么会少？
4
我听说儒者戴圆帽，是表示知道天文；穿方形鞋，是表示知道地理；佩彩带，系玉玦，是表示他临事而决断。
天文
决断
地理
5
君子有了儒者的修养，未必穿这种服饰，穿这种服饰的，未必有儒者的修养。
6
我请大王下令：「不懂儒术，而擅穿儒服者处死罪」，就知道他们是否真懂儒术了。
好！

7
传令下去！无儒者修养而穿儒服者，处死！
8
啊！
可怕。
令
没有儒者修养而穿儒服者，处死！
不能随便穿儒服了。
9
经过五天，整个鲁国只有一个男子敢穿儒服，站在哀公朝廷面前。
……
10
哀公召来询问国事，儒者应对无方，千变万化，是个真正的儒者。
11
你看吧！全鲁国也不过只有一个儒者，还能算多吗？
……
生命的意义最重要的是活得真实，但人却常常抱住虚假的形式而失去了「真」！

百里奚养牛
1
百里奚不把「卑贱」放在心上，所以他养牛的时候，就把牛养得很肥。
2
秦穆公认为百里奚能够忘去卑贱，就把政事交给他，封他为「五羖大夫」。
3
百里奚做了五羖大夫以后，也没把「爵禄」放在心上，所以把政事办得很好。
做事做官能忘却自己的卑贱、高贵，即能无我。爵禄不入于心，不求钱，不邀功，政事还会办不好吗？

真正的画师
宋元君要画图，各个画师都来到，拜见宋元君后个个兴致冲冲，濡笔调墨，站立在一旁。
有个画师后来，神态十分悠闲。
!
他受命拜揖却不站立，随即返回住所……。
竟然宽衣解带，裸体坐在地上，真不像话。
好极了，这才是我要寻找的画师。
!
人如果能使爵禄、毁誉不入于心，便能真。画师本人一定要真，才会有「真的作品」。

至人之箭
列子表演箭术给伯昏无人看，他在手肘上放一杯水，而连续发箭，动作快得不得了。……
当第一支箭刚发出去，第二支箭就已搭在弦上，整个人的动作像木偶一样，手肘上的水一滴也不泼漏。
你这种箭术只能算是有心射箭的箭术，而不是无心射箭的箭术。
跟我来！
……

5
在这里你还能镇定的射箭吗？
哇！
6
哇！在这里我无法射箭啊！
7
真正得道的人，一脚踩着青天，一脚踩着黄泉，纵横八极神气不变。你现在不过是爬上高山就吓成这样，你的心距离大道还差得远呢！
有心射箭只是技术巧妙，无心射箭才是道术的巧妙。要能达到忘我、忘箭，浑然与大道为一体，才能达到最上乘的箭术。

1
肩吾问孙叔敖说：
你三次做令尹，而不感到荣耀，三次免去令尹而没有忧色，为何能如此通达呢？
爵禄无变于己
富贵来了不能推却，富贵去了也不能阻止，得失不在于我，因此我没有忧色。
2
3
况且不知道可贵的是在令尹呢，还是我呢？如果是在令尹，就和我无关；如果在于我，就和令尹无关。
4
我逸豫自得，高视八方，哪里顾得了人间的贵贱呢？
真正的至人，智者不能游说他，美色不能淫乱他，强盗不能劫夺他，生死大事也不能改变影响他，何况是爵禄小事呢！

1
凡侯和楚王坐着聊天。
凡国灭亡了。
凡国不曾灭亡
2
知道了，退下！
是！
3
你心里不急吗？
4
我何必急呢？凡国的存在，不能保障自我的存在。凡国的灭亡也不会丧失真我的存在。
存在
5
那么，楚国不正是这样吗？所以，我们不妨说……凡国不曾灭亡，楚国不曾存在。
！
！
真我才是重要的，外物的存亡变化，哪能时时去计较呢？

知识和大道
大道
知
「知」到北方去游历，有一天遇见了「无所谓」。
無所謂
知
怎样思考才能明白大道？怎样动作才能安于大道？怎样的法门才能获得大道？
無所謂
知
无所谓！
无所谓！
无所谓！
? ?
無所謂
知
「知」得不到解答，便又来到白水的南边，遇到了「狂屈」。
知
狂屈
我想问你三个问题……
狂屈
知
如何明白大道？如何安于大道？如何获得大道？
狂屈
知

7
我知道。我想告诉你，但我却忘了我要说的话。
狂屈
知
!
8
「知」还是没有得到解答，便去问黄帝。
知
? ?
9
不要用心去思考，才能明白大道。不要用心去动作，才能安于大道。不要用心去依据法门，才能获得大道。
知
10
你我都知道大道。无所谓和狂屈却不知道大道。
知
11
错了！无所谓是合于大道。狂屈是接近大道。你和我距大道还远得很哩！
知
「知」是「言」的境界，「狂屈」是「言无言」的境界，「无所谓」是「无心、忘言」的境界。用「知」用「言」是无法测量大道的。
大道

道可以拥有吗？
舜问丞说：
道可以拥有吗？
你的形体都不是你能拥有的，道要怎样去拥有呢？
我的形体不是我的，那是谁的呢？
你的形体，你的性命，你的子孙，都是自然变化暂时寄托的啊！哪里是你的呢？
得道的人，无智也无得，把形体当作自己拥有的，是一种迷惑；有心把道拿来拥有，也是一种迷惑。

道在屎溺
东郭子问庄子说：
你所说的道，究竟在哪里？
道是无所不在的。
那就请你明指个地方吧！
好。
道就在蝼蚁身上。
怎么会这样卑下呢？
道就在稊稗小草里面。
怎么越来越卑下了呢？
道就在砖瓦里面。
怎么又更卑下了呢？

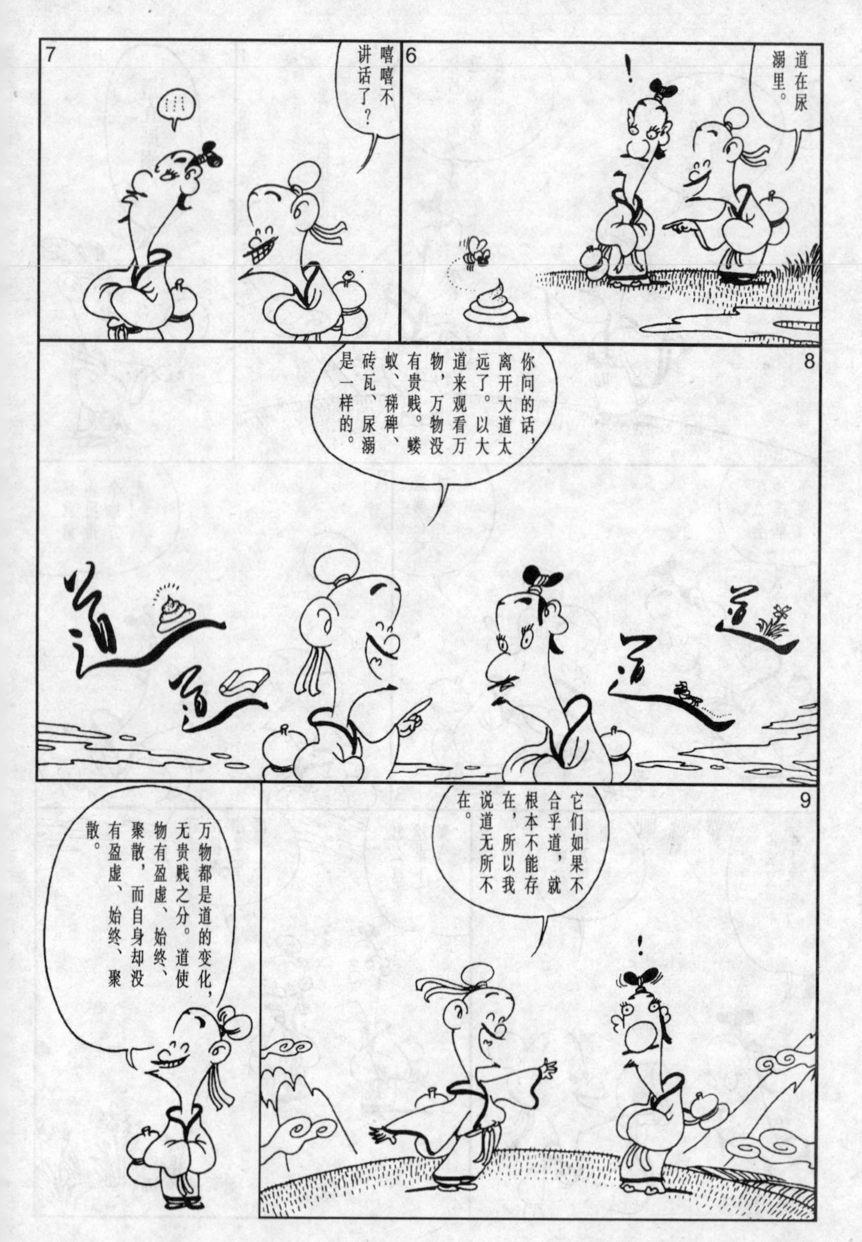
道在尿溺里。
!
嘻嘻不讲话了？
你问的话，离开大道太远了。以大道来观看万物，万物没有贵贱。蝼蚁、稊稗、砖瓦、尿溺是一样的。
它们如果不合乎道，就根本不能存在，所以我说道无所不在。
!
万物都是道的变化，无贵贱之分。道使物有盈虚、始终、聚散，而自身却没有盈虚、始终、聚散。

道超越知
泰清问无穷说：
你知道大道吗？
我不知道。
泰清又问无为说：
你知道大道吗？
我知道。
你知道大道，有名目可以指称吗？
有啊。
什么名目？
道可以称为贵，可以称为贱，可以称为聚，可以称为散。

7
还是不明白，再问无始看看。
無
無始
8
无穷不知道，无为知道，那么究竟谁是谁非呢？
無始
9
知道的人浅，不知道的人深啊！
無始
10
原来道是不可用耳去听，不可用眼去看，不可用嘴去说。道是超越感官的知识的啊！
道无可问，问了无可回答。本来无可问的却要去强问，这是空洞的问；本来无可回答的却要强来回答，这是没有内容的。

心无旁骛
大司马家中制钩的工匠年高八十，他打炼的钩带却还做得丝毫没有差错。
你这是有技巧呢？还是有道？
我是有道。
我二十岁时就喜好捶钩带，对于别的东西都不看，不是钩带就不去关心。
凭借不用心于他物的心，专心用于炼钩，何况是无不用心于钩呢？
嘡嘡嘡！
人只要确知自己的本性，对真正所爱好的事物专精凝注，心无旁骛，就能做到至善之境。

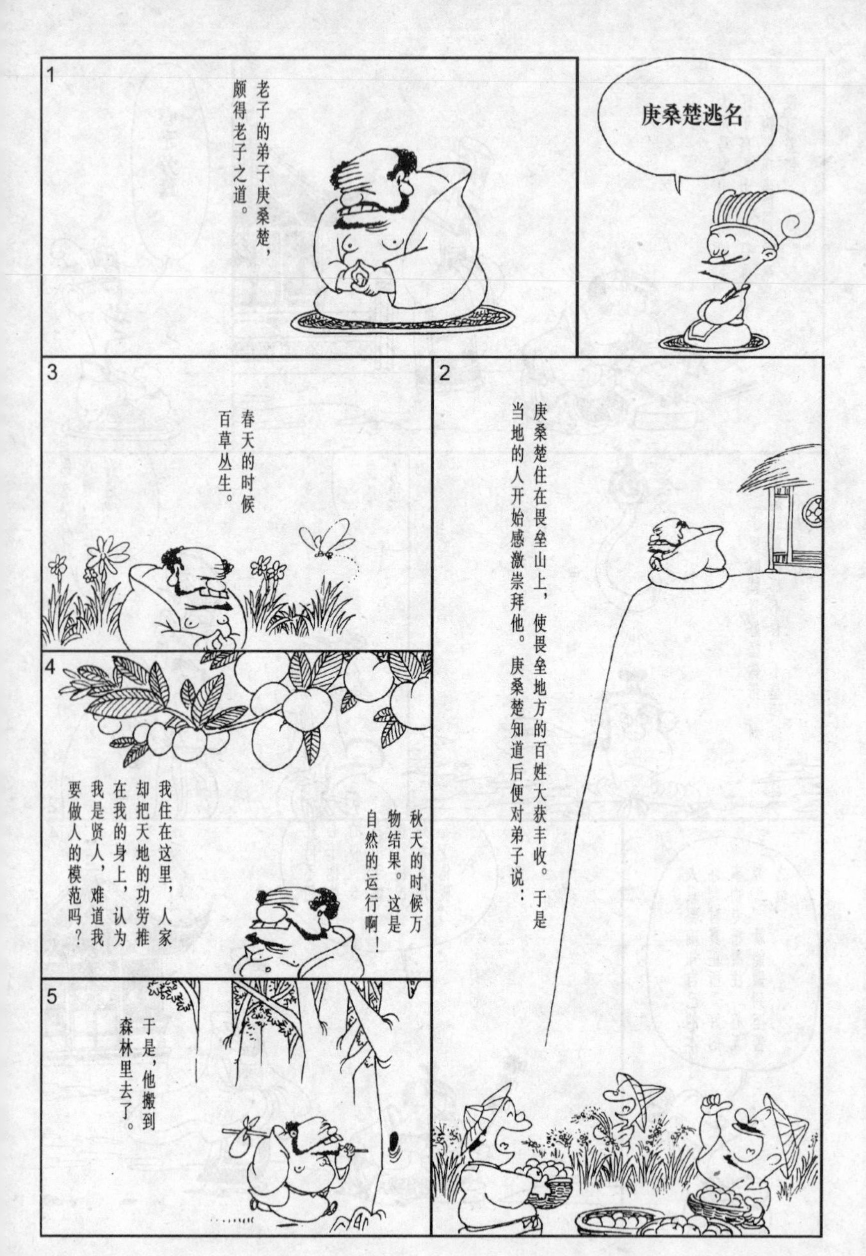
庚桑楚逃名
1
老子的弟子庚桑楚，
颇得老子之道。
2
庚桑楚住在畏垒山上，使畏垒地方的百姓大获丰收。于是
当地的人开始感激崇拜他。庚桑楚知道后便对弟子说：
3
春天的时候
百草丛生。
4
秋天的时候万
物结果。这是
自然的运行啊！
我住在这里，人家
却把天地的功劳推
在我的身上，认为
我是贤人，难道我
要做人的模范吗？
5
于是，他搬到
森林里去了。

知的极点
要学的人，是学他所不能学到的；
躬行实践的人，是行他所不能行的；
辩论的人，是辩他所不能辩的。
知的探求，要把目标订在他所不能知的境域，
如果有不是这样的，他自然的本性就要遭受亏损。
自然的本性就是变化生生不息。重复着已经做过的、已经知道的，与死亡无异。

至仁
踩了市人的脚，就得陪罪说对不起；
对不起，抱歉啊！
唉呀！
踩了哥哥的脚，就要对他抚慰怜惜；
老哥！把你的脚踩痛了吧？
唉呀！
踩了父母的脚就无须说对不起！
唉呀！
爱就是不必跟他说抱歉！
至礼没有人我之分，至义没有物我之分，至智不用谋略，至仁没有亲疏之别，至信不必以金玉为抵押品。

徐无鬼相狗相马
徐无鬼因女商的介绍，去见魏武侯。
先生气色不太好啊！大概是住在山林太吃苦了，所以才下山找寡人聊天吧？
我是来慰问你的啊，你怎么反来慰问我呢？
没错！我确实为了职责而十分劳累……
大王，我会相狗，也会相马哩。你想听听吗？
这个寡人倒想听听。
我相狗，分为三种。下等的狗，吃饱就算了，这种狗和猫一样。

6
中等的狗，眼神明亮，矫矫不凡的样子。
!
7
上等的狗，自由自在无拘无束，根本不知道自己是狗哩！
哈哈哈哈说得好！
8
我相马的本领又比相狗还要精。马有两种，一种叫做国马，一种叫天下之马。
什么叫国马？
9
如果一匹马，无论齿、背、头、眼都合乎绳墨规矩，它的进退周旋完全中规中矩，那就叫国马。
10
那什么是天下之马？
11
天下之马有天生的气质，若静若失，好像忘了自己，像这样的马，奔跑时超逸绝尘，这就叫天下之马。
好好好！相得妙！

1
徐无鬼告辞了魏武侯，女商问道：
先生刚才谈些什么话？大王怎么会那样高兴？
诗书六弢不如狗马经
2
我只是随便谈了些相狗相马的道理。
3
那可怪了！以往我和大王谈诗书礼乐、六弢兵法，大王却从来没有这么高兴过哩！
4
哦！你没有听过越国被放逐的人讲的话吗？
5
刚离国的几天，只要看见老朋友便很高兴。

离国个把月以后，只要看见越国的熟人便很高兴。
亲不亲，故乡人！
一年之后，只要看见像越国人的，就很高兴了。
哦！
常年被放逐在山林的人，只要听到人的脚步声就非常高兴……
如果来的人，竟是他的兄弟亲戚，你说那人不是要高兴得昏倒吗？
大王太久没听到亲切的话了，太久没有接近有道的真人了！
大道如知己，闻大道如见知己般的喜悦。仁义六弢并非大道，所以听久了，反而索然无味。

黄帝问道于牧童
黄帝带着方明、昌寓、张若、滑稽等六人，坐马车想到具茨山去见大隗。
七圣在路上都迷路了。
你知道具茨山在哪里吗？
知道啊！
你知道大隗在哪里吗？
知道啊！

奇怪啊！你不但知道具茨山，也知道大隗。
那么你知道怎么治天下吗？
知道啊！
治天下不就和牧马一样吗？只要把妨害马本性的东西去掉就行了。
谢谢！阁下真是「天师」。
七圣迷路，到了具茨山还不知道，黄帝听了牧童的话，才知已到具茨山，那么牧童是谁呢？

石匠和郢人
1
惠子死后，庄子很想念他……
惠子之墓
2
有个郢人在涂白灰的时候，一滴白灰落在他的鼻头上，像苍蝇的翅膀那样薄……
3
嘿，把我鼻头上的白灰砍掉！
4
要砍了哦！
来吧！
5
6
郢人站在那里动也不动，所以鼻子一点也没有受伤。
好棒！

宋元君知道了这件事就很好奇……
把那个石匠找来！
我也把白灰涂在鼻尖上，让你砍砍好吗？
!
我以前曾经砍过，但是我的对手早就死了。
抱歉！
自从惠子死后，我的对手也就死了。
我就没有说话的对象了。
惠子之墓
对手的存在是敌对、相争。然而没有对手是寂寞的，悲哀的。

吴王射巧猿
1
吴王到山上射猴，许多猴子都赶紧躲入深山，只有一只猴子，在树枝上跳来跳去，不怕生人。
吱吱
2
嘻嘻射不到！
3
大家一起放箭！
非要把它射下来不可。
4
！
5
这猴子虽然灵巧，但是就因为夸耀灵巧，所以伤了性命。
本领不可夸，智慧不可耀。锋芒常常会招来祸害，所以应自晦光芒。

不知的境域
足所踩的只须鞋一般大的地，但还要依恃没踩到的地才能达到广远。
人所知的很少，但还要依恃所不知的而后才能知道天道的自然。
知道大一，知道大阴，知道大目，知道大均，知道大方，知道大信，知道大定，那就尽善尽美了。
大一能贯通万物，大阴能解除万虑，大目能视无偏遗，大均能循顺万物本性，大方能为万物依附，大信能考而有实，大定能持守不挠。
人应顺乎天地，照彻万物，深藏道心，明己明彼。
在这种情境中自然的解悟好像未曾知解，无心的知好像无所知，无心的知才是真知。

环中之道
冉相氏悟出了环中之道，以应无穷之变。
万物没有过去，没有现在，没有未来。
形体与万物相合，真我不须臾离开。效法自然，而不有心效法自然。没有自然的观念，也没有人的观念。
人返复真性，顺物自成和外物契合，无始无终、无日无时。随物与时变化，内心凝静不变，即能不空不有。

蜗牛角上的两国
魏惠王与齐威王互相结盟。不久齐王首先背信，魏王大怒！
立刻发兵攻打齐国！
!
大王先听我说……有个叫做蜗牛的小动物，大王知道吗？
知道啊！
有个建国在蜗牛左角的叫触氏，另有一个建国在右角的叫蛮氏，两国经常为了争夺土地，互相攻战死伤数万。
触氏
蛮氏
胡说！哪有这种事？
大王！天地四方有穷尽吗？
没有穷尽！
在天地之中有个魏国，魏国中有个大梁城，大梁城中有个宫殿，宫殿中有个大王，那么大王和蜗牛角上的蛮、触氏有什么分别？
世人争地、争利，在有道的人看来，就像蜗牛角上的两国在角斗一样，不是吗？

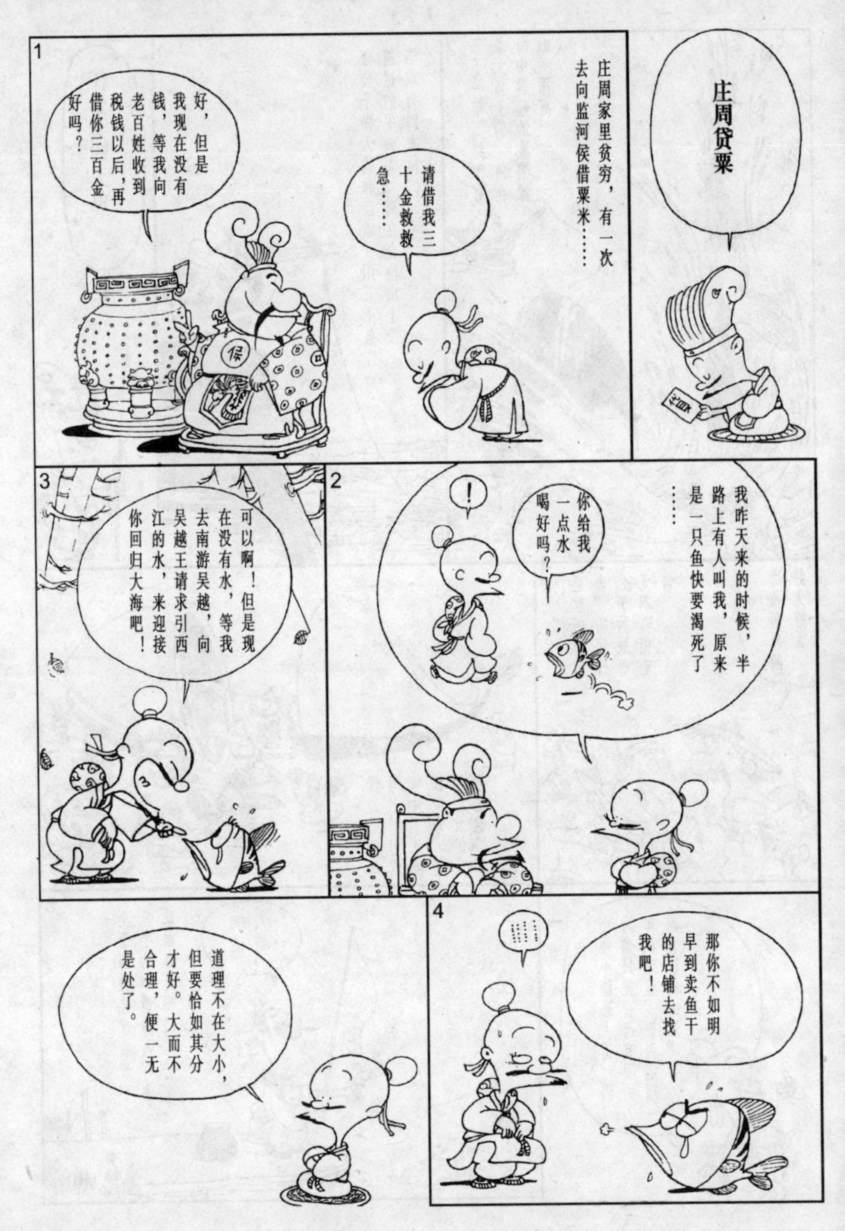

庄周贷粟
庄周家里贫穷，有一次去向监河侯借粟米……
请借我三十金救救急……
好，但是我现在没有钱，等我向老百姓收到税钱以后，再借你三百金好吗？
我昨天来的时候，半路上有人叫我，原来是一只鱼快要渴死了……
你给我一点水喝好吗？
可以啊！但是现在没有水，等我去南游吴越，向吴越王请求引西江的水，来迎接你回归大海吧！
那你不如明早到卖鱼干的店铺去找我吧！
道理不在大小，但要恰如其分才好。大而不合理，便一无是处了。

任公子钓大鱼
1
任公子做大钩和巨索，用五十条阉过的牛做饵，蹲在会稽山上投竿东海钓大鱼。
2
守了一年，终于有条大鱼上钩，鱼在海中卷起的波浪像山一样高。
呼啸！
3
任公子把鱼钩上，切成鱼片，从浙江以东、苍梧以北的人都吃饱了。
4
喜欢传说的人，听了任公子的故事，无不奔相走告。
那条鱼真的好大好大！
5
至于那些经常拿着小鱼竿钓小鱼的人，他就根本不相信。
胡说八道！
小儒不能通大道，因为他只凭一己有限的知识经验，去否定超越知识的大道。

灵验的白龟
宋元君有一天梦见有人披头散发，从屋檐下伸头进来偷看他。
1
我是清江使者，本来要到河伯那里去，半路上不小心被渔夫余且捉去了。
2
你替我解解这个怪梦……
好的！
3
那人是一只神龟变的。
4
有叫余且的渔夫吗？
有的。
5
你最近捕获了什么吗？
我网到了一只白龟，直径有五尺长。

谢谢！
就是这只……就献给大王您吧！
杀了他……
放了他……
你占卜看看是放生好，还是杀了好？
是！
那么就把他杀了吧。
杀了龟，用龟骨来占卜，吉利。
于是宋元君便杀了白龟，用来占卜七十二次，每次都灵验无比。
真灵验！
好极了！
孔子因此说……
神龟能托梦给宋元君，却不能避开余且的网，他的智慧能够卜七十二次全都灵验，却不能免杀身之祸。这是小聪明，不是大智慧。
小智慧有所见，有所不见，因为他有所蒙蔽。大智慧就是无漏的智慧，无漏就是观照圆满。

自然的用
庄子对惠子说了长篇大道。
你说的话没有用！
废话
废话
你知道没有用，才可以跟你说「用」。
比如说这一块大地，你所用的只是脚下立足的那一小块而已。
如果把立足以外的地，统统挖掉……
哇！
那么你所立足的那小块地还会有用吗？
所以说：「有用」是建立在无用的基础上，没有「无用」就没有「有用」。
有用
!

得鱼忘筌
「筌」是用来捕鱼的，
捉得鱼以后，筌就可以舍弃了。
捕兽器是用来捉兔子的。
捉到兔子以后，捕兽器便可以舍弃了。
言语文字是用来传达思想的。
道可道非常道名可名非常名
言语文字是过程，不是目的。太拘泥于语言文字，甚至穷经皓首，和「舍本逐末」又有什么区别呢？
意思已经传达了以后，
言语文字便可舍弃了。

孔子的变化
孔子行年六十岁而有六十岁的变化。
从前认为对的，现在不敢说是对的了；现在认为对的，也不敢说从前的是不对。
惠子问庄子说：
孔子到现在还是使用知识、劳苦心智吗？
孔子早就超越这境界了。
他认为明辨是非，不过是服人之口而已，不能服人之心。如要使人心服，必须合乎自然的大道才行。
使用心智、劳苦心智，是一种较低的层次。智者应该超越这个层次。

无牵挂的人
1
曾子第二次出来做官时，心情起了新的变化……
我第一次做官时，俸禄只有三釜米，但心中很快乐，因那时双亲还在。
2
现在俸禄虽有三千钟米，但我双亲已经不在了，所以我心里很难过。
3
老师！像曾子这样，可算是无牵挂的人吗？
4
他对于俸禄是没有牵挂，但是他还是有别的牵挂啊！一个真无牵挂的人，他会有哀乐吗？
5
对于三釜或三千钟俸禄，那就像鸟雀蚊虫从他身旁飞过一样，他更不会记挂的。
曾子不执著于俸禄，但执著于亲情，因此才有了哀乐。有哀乐的人，不能算是没有牵挂。

得道的阶段
1
颜成子游对东郭子綦说：
自从我追随老师学道以来，第一年心如野马。
2
第二年才开始收敛。
3
第三年心无挂碍。
4
第四年混同物我。
5
第五年大众来归。
第六年通鬼神。
第七年顺乎自然。
第八年忘去生死。
第九年大彻大悟。
修道的过程不要过分勉强收敛，应顺其本性逐步渐进才能达到忘去自己，大彻大悟。第一年就想收敛的人，往往十年下来还是心如野马。

杨朱学道
1
杨朱想向老子学道。
老师！跟我一起住旅舍，教我「道」！
2
你这人真是无可救药。一副跋扈的样子，人家见了你都会害怕！
3
你还想修什么道？
我一定遵从老师的指教。
4
杨朱初到旅舍的时候，大家都很怕他，客人也不敢和他同座。
5
但是，杨朱要离开旅舍的时候，众人的态度大为改变，大家都和他很亲热，甚至抢他的位子。
你走开！
修道的人，首先要去掉矜持骄态，心不虚，哪能容道呢？

生活为贵
名位为轻
1
尧把天下让给许由，
但许由不接受……
于是尧又想把天下
让给子州支父……
让我做
天子，
还可以。
2
3
不过，我正
患有深忧之
病，将要医
治，没有时
间来治理天
下。
天下最大的权力
名位莫大于天子之位的
了，而不肯以它来交换
生命，这是有道的人所
以和凡俗不同的地方。

屠羊人不居功
1
楚昭王逃亡时，屠羊说追随昭王一起流亡，吴军退去后，昭王返国……
2
昭王要封赏与他一起共患难的功臣，你也是其中之一。
羊肉
3
大王逃亡时，我也放弃屠羊。现在大王返国，我又开始屠羊，有何好封赏的呢？
4
你追随大王流浪也很辛苦，就接受一点封赏，也不过分啊！
5
大王逃亡不是我的罪过，大王返国也不是我的功劳，我既不受罚，也不受赏。
世俗的褒贬只是互相欺骗的行为，能看通这些即能处处无碍、清心自在。

1
原宪和子贡是孔子的学生。
子贡衣服雪白
2
原宪家徒四壁，屋顶会漏雨……
3
门户有漏洞，但他都不在意。
4
子贡很会说话，做了大官，往来很神气。有一天子贡去看原宪。
5
巷子太小了，车子开不进去！

6
7
你还是这么穷吗？
是啊！
8
近来身子好吗？
我很好啊！
9
一个人太穷固然不好。但为迎合世俗而放弃理想，
10
去做坏事而假借仁义，这人的衣服虽然穿得雪白，我还是认为不如贫穷的好。
衣服雪白的人，不一定内心很清白。一个人与其做坏事而得富贵，不如守贫穷好些。

颜回不做官
1
孔子对颜回说：
回啊！你住得那么简陋，吃得那么坏，为何不去做官呢？
老师，我不想做官啊！
2
我城里有五十亩薄田，可以有些收成，平日煮稀饭吃也就够了。
3
我城外还有十亩地，种些桑林，做衣服鞋子也就有得穿了。
4
其他空闲时，我就弹弹琴，跟老师谈谈大道。这样我就很满足了，何必再去做官呢？
多余的物质，不必过分去追求，否则得不偿失。知足常乐的人就不会为利禄而劳苦了。

大盗的大道理
柳下季是孔子的朋友，他有个弟弟叫作盗跖。盗跖有部众九千人，横行天下！
1
做父母的要管教儿子，做哥哥的要管教弟弟，现在你弟弟做大盗，横行天下，你不能管管他吗？
2
有的人就是不听父兄的管教，那又有什么办法？
3
那就让我去劝劝他吧！
4
我那弟弟个性强悍，如果你拂逆他，他就勃然大怒，我看你还是不要去尝试吧！
5

6
孔子不听劝告，还是带着子贡与颜回，一起上山去会大盗。
7
将军，孔子到山上来了，想见见你。
8
哇哇哇
呜呜呜
9
你替我传话给他，不要再妄称文武、搬弄是非、迷惑天下君主。
10
不要再假借孝悌，欺骗士人，侥幸得到封侯的富贵。他的罪孽深重，趁早下山还来得及！
11
不然我就把他的心肝拿来当午餐吃了！
是！

12
将军不想见你，你快走吧！
对不起，烦请再通报一下。
13
我是柳下季的好朋友，素闻将军高义，特地前来拜访。
14
孔丘！有话快说吧，如果说得不合我意，你就休想活着下山。
将军请暂息怒。
15
天下有三种美质，第一种：身材高大、美好无双。第二种：智慧包罗天下、能分辨万事万物的道理。第三种：勇敢果决、能聚集群众、率领兵卒。
16
现在将军一身而兼有这三种美质，可是却做强盗，这不是太可惜了吗？

将军如有意听我的浅见，我愿说服诸国，请他们为将军筑一座大城，尊将军为诸侯，不要再做大盗了。
哼！
哈哈哈哈
一个人可以用利禄去引诱、规劝的，都是一些凡夫俗子罢了。
想用富贵来引诱我，我难道不知道，富贵只是过眼云烟吗？
再说最大的城，没有比天下更大的了……
尧舜拥有天下，他的子孙现在在哪里呢？汤武也曾经拥有天下，他的子孙现在又在哪里？天下的事情，有大利就有大害。
现在我做大盗杀人，毕竟有限，如果我做了诸侯，而假借仁义来杀人，那就更是祸患无穷了。

你今天所谈的道理，都是我抛弃不要的谬论，距离大道太远太远了。
唉！
唉！
唉！
我弟弟是不是冒犯你了呢？
我匆匆忙忙地去拔老虎的胡子，几乎被老虎吃掉啊！
孔子行仁义，当然不是欺诈。但是……有多少罪恶是假借仁义之名而行的呢？

庄子三剑
赵文王喜欢剑术，剑客都流浪到赵国来，宫廷内共有三千多个剑客。
赵王日夜不停的要他们比剑。三年下来，不知死伤了多少人，但赵王仍然乐此不疲。
诸侯见赵王沉迷于剑术便打算夺取赵国的土地……
太子知道诸侯的阴谋以后，忧心如焚。
有一个人能劝阻赵王……
谁？
庄子！
听说太子对大王的沉迷剑术很烦恼？
是！

8
让我去见赵王吧！
9
好是好，可是现在大王除了剑客以外，其他的人他都不接见哩。
没问题，我的剑术也不同凡响。
10
大王所喜欢的剑客都是满头乱发、说话粗里粗气、两眼瞪着像死鱼一样，而先生却一派文绉绉的样子……
11
那就替我做一套剑客的服装吧。
12
13
你的剑术很好吗？怎敢劳动太子为你引见？
14
我的剑术千里之内无人能挡。如果有人阻挡，十步之内我就杀人。
!

15
那你是天下无敌了！
16
善于击剑的，要先故意露出破绽引诱敌人……
17
18
大王要一开眼界，就让我试剑吧。
19
当敌人一剑刺来之时，我已意在剑先。剑身合一，剑出如风，只要一出手，敌人没有不躺下的。
不……不。你的剑术太高了，七天之后我再正式请你来参加比剑大会。
20
于是赵王就精选剑士，较量了七天，死伤六十余人。
胜！
负！
21
然后选了五六个剑术造诣最高的来和庄子比剑。

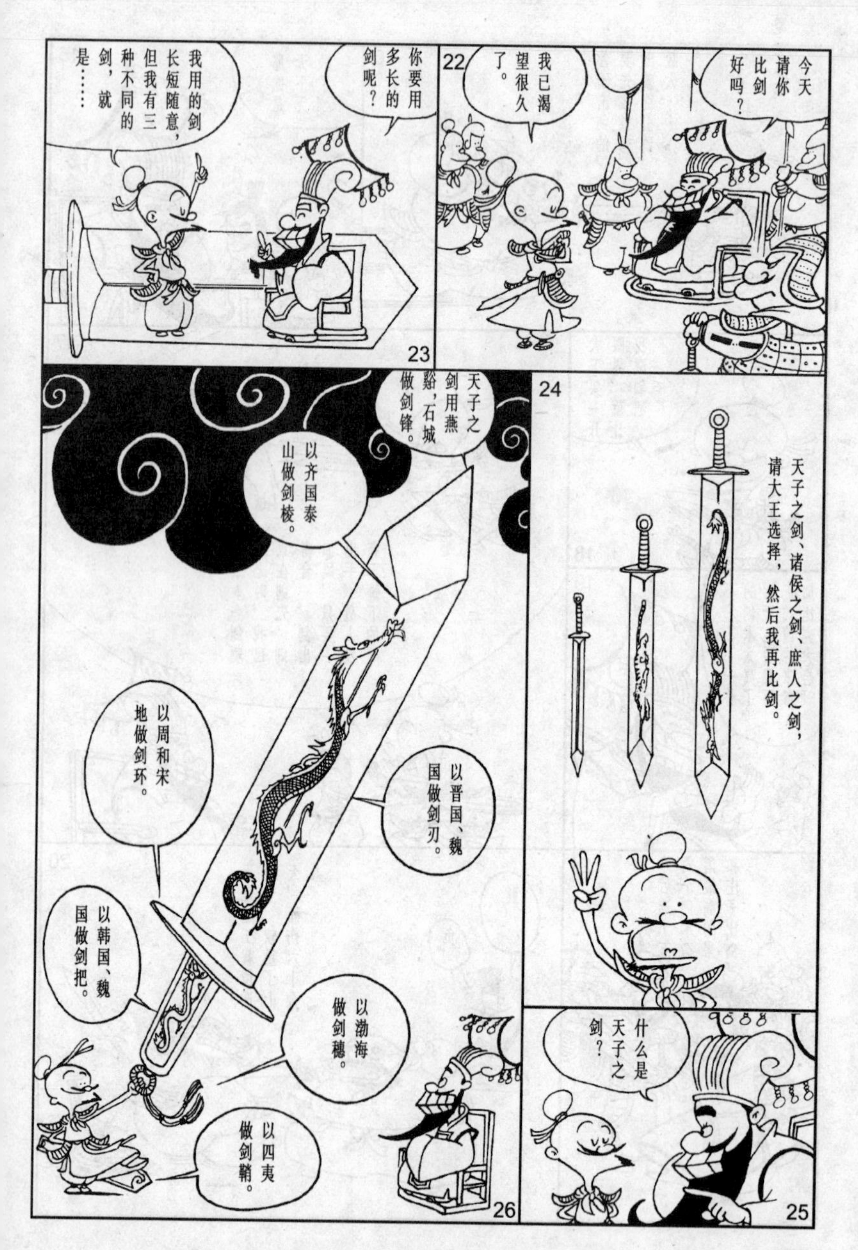

今天请你比剑好吗？
我已渴望很久了。
你要用多长的剑呢？
我用的剑长短随意，但我有三种不同的剑，就是……
天子之剑、诸侯之剑、庶人之剑，请大王选择，然后我再比剑。
什么是天子之剑？
天子之剑用燕谿，石城做剑锋。
以齐国泰山做剑棱。
以晋国、魏国做剑刃。
以周和宋地做剑环。
以韩国、魏国做剑把。
以渤海做剑穗。
以四夷做剑鞘。

这把剑拔出来，向上可以劈开浮云，
27
向下可以斩断地根，天下无人不服。这叫做天子之剑。
28
那诸侯之剑呢？
29
诸侯之剑是……
以豪杰之人做剑把。
以贤良之人做剑刃。
以聪明勇敢之人做剑锋。
以清廉之人做剑棱。
以忠圣之人做剑环。
30

这把剑一出手，四境宾服，如雷霆威震四方。这叫做诸侯之剑。
庶人之剑是满头乱发，说话粗里粗气，比剑的时候，头盔压得很低，两眼瞪着像死鱼一样。
那庶人之剑又怎样呢？
这种剑一出手，上砍敌人的首级，下刺敌人的心脏，就和斗鸡无异。一旦性命送掉了，为国家就再也不能出力了。
现在大王喜欢庶人之剑，我看是太可惜了哩！

今天比剑的事取消了，你们统统退下。
唉唉唉！
大王请定下心来，坐下吧！剑术的事我已说完了，告辞了。
好吧！
庄子……谢你点通了我的无知……
从此，赵王再也不谈剑术，三个月不出宫门一步。那些剑客见赵王再也不理他们，心中气愤难忍，便统统拔剑自杀了。
世俗伤身的「利器」很多：酒、色、名、利、权力等，剑术也是一种，小道伤身不足为恃。

孔子游黑森林
1
孔子来到一片黑森林游玩。他的弟子在他身旁读书，他坐在大石上弹琴唱歌。
2
3
那唱歌的是什么人哪？
4
他是鲁国的君子啊！
他的家族是什么？
他的家族是孔氏！
孔氏是做什么的呢？
5
他是讲仁义礼乐。上以忠心事主，下以感化百姓使天下太平的人哪。
6
那么他是有封地的君子吗？
不是。
那么他是诸侯的大臣吗？
也不是。

7
像他这样辛苦也真是可叹啊！他这样子下去，恐怕离开大道会越来越远哩！
8
哈々々
9
孔子知道了之后……
那渔夫是个大智慧的人啊！
10
请等一等！
11
你有什么要求吗？
12
刚才听先生说话，好像没有说完。我很愚昧想请先生再指教。
人有八种毛病四种忧患不可不察哩。
13
做不是你应该做的事，叫做：「摠」
人家不采信你的话，偏偏又说个没完叫做：「佞」
揣摩顺从人家的心意，去说一些人家喜欢听的话叫做：「谄」
不问是非，只是附和人家的话，叫做：「谀」
喜欢说人家的短处，叫做：「谗」
拆散人家的交情，叫做：「贼」
称誉奸诈的人，排斥自己厌恶的人叫做：「慝」
不分善恶，两面讨好，使人喜欢，叫做：「险」

14
这八种毛病对外则扰乱别人，对内则伤害真我，这是有智慧的人所不愿接近的。
15
那么什么是四种忧患呢？
16
好做大事以求功名，这叫做：「叨」
妄作聪明擅自行事，只用自己的主意，不顾侵犯人家的，这叫做：「贪」
看出自己的过失而不改，听了别人的劝谏反而火上加油，这叫做：「狠」
和自己意见相同的，就认为对，和自己意见不同虽好也说不好，这叫做：「矜」
17
一个人有这四种忧患时，就很难和他谈大道了。
18
孔子听了楸然变色，再三拜揖而去。
修大智慧不要犯八病：揔、佞、谄、谀、谗、贼、慝、险。不要犯四患：叨、贪、狠、矜。这八病四患是世人最常见的过失。

讨厌脚迹的人
有个人，他很讨厌自己的脚迹，
讨厌！
他为摆脱自己的脚迹，便越走越快！
但是他走得越快，脚迹越多，最后便累死了。
哇！
笨人！

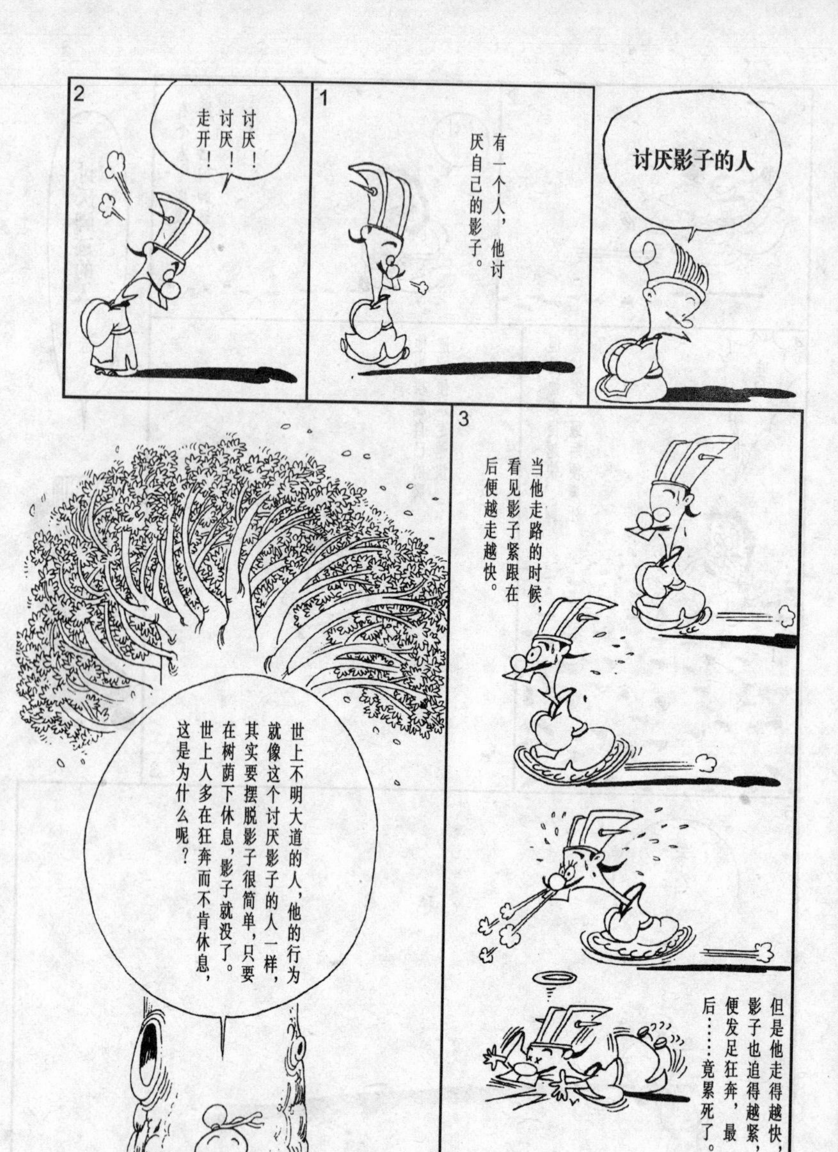

讨厌影子的人
1
有一个人，他讨厌自己的影子。
2
讨厌！讨厌！走开！
3
当他走路的时候，看见影子紧跟在后便越走越快。
但是他走得越快，影子也追得越紧，便发足狂奔，最后……竟累死了。
世上不明大道的人，他的行为就像这个讨厌影子的人一样，其实要摆脱影子很简单，只要在树荫下休息，影子就没了。世上人多在狂奔而不肯休息，这是为什么呢？

泛若不系之舟
巧妙的人多劳苦，
聪明的人多忧愁，
无能的人无所求，吃饱了便到处逍遥。
好像是一条没有绳索系住的空船，在水面上摇呀摇的自由自在。
聪明巧妙往往带来无穷的累赘。这些系累世人常不自觉。

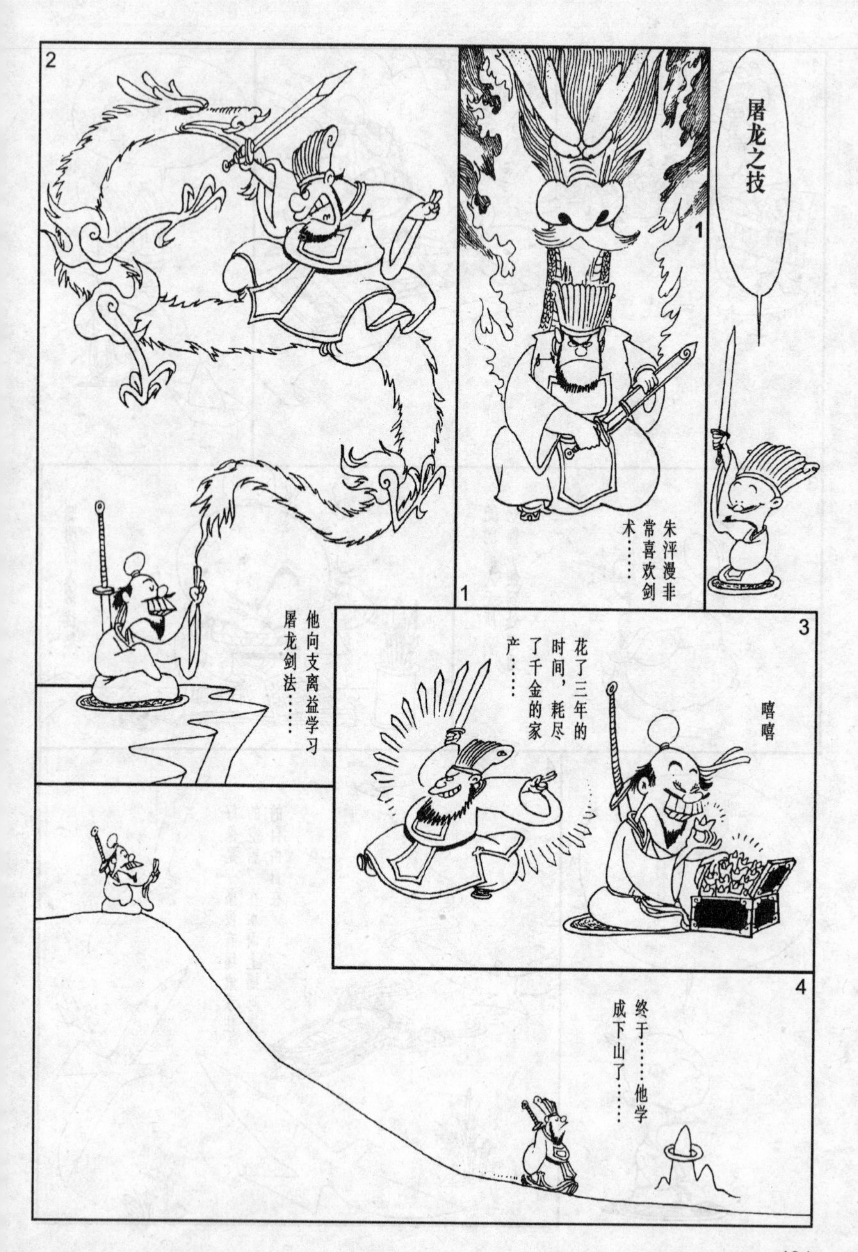
屠龙之技
朱泙漫非常喜欢剑术……
他向支离益学习屠龙剑法……
嘻嘻
花了三年的时间，耗尽了千金的家产……
终于……他学成下山了……

他想找一条龙来试试他的屠龙剑法……
老伯，你有没有看到龙？
龙？听说过，但没见过……
酒
朱泙漫走天下，但找不到一条龙……
找不到龙……你们有谁见过？
「龙」呢？哇！龙在哪里？
朱泙漫空想而不切实际，他的剑术究竟能屠龙，还是只能屠狗，谁知道？

逐利之夫
宋人曹商出使秦国，秦王喜欢他，赐他车辆百乘。
住陋巷，织屦为生，饿得颈枯面黄，这不是我的专长。若开悟万乘君主而得车百乘，这是我的长处。
秦王有病召医，能够使他的毒疮溃散的，可获得车辆一乘……
舐好痔疮的可获得车辆五乘，所医治的愈卑下，所得的车辆愈多。
你难道是医治秦王的痔疮？为什么得到这么多车辆？
为求名利外物，人往往会违背自己的本性去做卑下低贱的事。君子恬淡志远，有所为，也有所不为！

有人去游说宋王。
哈哈哈……说得好！送你十辆马车。
庄子，你看！
打碎龙珠
爸爸你看！
黄河边上有个穷人家，有一天他的儿子潜到深渊底下，找到一颗龙珠，拿给他的父亲，他的父亲说：「我不要这颗龙珠。」于是就把珠子打碎了。
爸爸，为什么要打碎呢？
这一定是九重深渊底下黑龙出没的地方才会有。你能拿到这颗珠子，一定是刚好碰上了黑龙睡着了，如果黑龙醒来，你还能活着回来吗？

现在宋国的宫殿，就好像九重深渊……宋王的凶猛就好比那条黑龙……
你能得到宋王的马车，必定是碰到他正在睡觉……
咦？
哇！
如果宋王是醒着，那你早就粉身碎骨了。
世人常为了珍奇的外物，忘了性命的危险，这是一种迷惑。如果把性命送了，岂不太不值得了吗？

不做牺牲
我们的大王请你出来做官。
对不起……
你看那养来做祭祀的牛，虽然每天吃的是刍草、大豆，身上披的是纹彩刺绣。
但是，有一天，当它被牵入太庙做牺牲的时候，它想回到野外，做一条孤独的牛也不能够了。

庄子快死了
庄子快要死了，他的弟子聚在一起商量，准备厚葬他。
那又何必呢？我死后，用天地做棺椁，用日月做双璧，用星辰做珍珠，用万物做礼品，还有什么葬仪比这更好的呢？
这样做，老师会被乌鸦、老鹰吃掉啊！
在地上会被乌鸦、老鹰吃掉。在地下，会被蛄蝼、蚂蚁吃掉，你们为什么要把我从乌鸦老鹰的嘴里抢过来给蛄蝼蚂蚁吃呢？
死亡是一种自然肉体的消散、变化就交给大自然去处理吧！

蔡志忠

台湾彰化人。一九四八年二月出生，
十五岁开始从事漫画创作，
当兵退伍后进入光启社从事电视美术指导工作。
一九七六年成立龙卡通公司，
拍摄《老夫子》、《乌龙院》等长篇动画电影，
曾获一九八一年金马奖最佳卡通片奖。
一九八三年开始画四格漫画《大醉侠》、
《光头神探》和中国古籍经典漫画《庄子说》、《老子说》等，
迄今已达一百多部；
作品在三十一个国家和地区出版，
总销量逾三千万册。
目前正从事佛学、神学的修习和物理学等科学的研究。

蔡志忠中国古典漫画

孔子说 ◉ 大学

孟子说 ◉ 中庸 ◉ 六朝怪谈

论语 聊斋志异

庄子说 ◉ 唐诗

老子说 ◉ 宋词

列子说 ◉ 六祖坛经 ◉ 史记

孙子说 ◉ 禅说

韩非子说 菜根谭 世说新语